오늘 하루
첫 번째 날처럼 마지막 날처럼

# 탈무드

오늘 하루
첫 번째 날처럼 마지막 날처럼

# 탈무드

주원규 지음

마리북

|
## 머리글
|

　하나의 질문으로 책을 열어보자. 우리는 《탈무드》를 어떻게 생각할까. 아니, 《탈무드》 하면 처음 떠오르는 이미지는 무엇일까.

　아마도 이렇지 않을까. 《탈무드》의 첫 책장을 펼치면, 우리는 삶의 가장 중요한 문제들에 대한 심오하고 철학적인 논쟁을 마주하게 되리라 기대한다. 진지한 지혜의 말들을 배우게 되리라 고대한다. 우리가 살아가는 어두운 세상을 밝혀줄 천재의 번득임을 기대한다.

　하지만 《탈무드》를 처음 대하게 되면 대개 뜨악한 기분이 든다. 탈무드 이야기에 대한 우리의 첫인상은 혼란스럽고 당혹스러우며 실망스럽기까지 하다. 에피소드 대부분이 시시콜콜한 일상의 이야기이고 재미없는 주제를 다루고 있다. 아침 식사는 왜 챙겨 먹어야 하는지, 우울증에 걸린 남자를 어떻게 치료하는 게 좋을지, 시장 상인들끼리 다툼이 생겼을 때 해결책이 무엇인지에 대한 물음 등이다. 이러한 종류의 수많은 질문이 탈무드의 상당 부분을 차지한다. 사람들은 《탈무드》를 읽고 난 다음엔 허탈한 표정을 지으며 다음과 같이 질문하곤 한다.

"이게 다야?"

우리는 오랜 시간 서양의 학문을 주입식으로 교육받아 왔다. 그래서 그런지 '고전'이라고 하면 삶의 깊은 문제를 철학적 사고와 논리적인 판단으로 심오한 답을 내어줄 것으로 기대한다. 물론 《탈무드》의 랍비들 역시 인생의 깊고 어려운 문제를 외면하지 않는다. 하지만 그들은 매우 다른 방법을 이용한다. 그들은 대우주를 다루는 대신에 소우주에 집중하여, 일상의 세세한 항목에 초점을 맞춘다. 그렇다고 랍비들이 이렇게 지엽적인 것에만 매달렸다고 보는 건 곤란하다. 《탈무드》의 랍비들은 사소하고 하찮아 보이는 평범한 일상에서 신, 우주, 삶의 철학을 발견해 왔다는 걸 결코 놓쳐선 안 된다.

《탈무드》가 우리에게 가르쳐주는 것을 진정으로 이해하기 위해서는 행간의 의미를 읽으며 수면 아래를 탐구해야 한다. 예를 들어,

남자의 우울증은 실제로 진짜 '나'보다는 사회가 정하는 '나'에게 맞추려 했던 시선이 문제였다는 사실을 발견하는 것이며, 아침 식사의 중요성은 건강을 돌보는 것도 중요하지만 더 나아가 규칙적인 생활 속에 우리가 깨우쳐야 할 삶의 원리가 숨어 있음을 밝혀내는 것이다.

랍비들의 말에서 더 깊은 의미와 궁극적인 관심사를 이해하는 건 쉽지 않은 도전이다.

《탈무드》는 완결된 책이 아니라 지금도 계속해서 쓰이는 책이다. 맨 처음 《탈무드》가 완성되었을 때부터 첫 장과 마지막 장은 백지로 두는 것이 원칙처럼 되어 버렸는데, 그것은 랍비들이 보기에 생각과 배움에는 끝이 없다고 여겼기 때문이다.

신의 가르침과 지혜를 끊임없이 변하는 사회에 접목하기 위해서는 유연함과 끝없는 성찰이 요구된다. 그렇기에 《탈무드》에 등장하는 몇몇 예화들은 오늘날의 상황에 맞게끔 일정 부분 각색했음을 밝힌다. 지금 이 순간을 살아가는 현재진행형의 마음으로 《탈무드》를 만나게 된다면, 오늘 우리의 우울한 현실을 극복하고 이겨낼 수 있는 가르침을 얻게 되리라 기대한다. 힘들고 어려운 시기를 보내고 있는 사람들에게 《탈무드》가 자기 계발과 같은 거창한 것이 아니라 참된 자신을 돌보며 위로하는 시간을 주면 좋겠다는 마음이다.

이제부터 《탈무드》의 우주로 빠져들 시간이다.


2021년 1월 충무로 작업실에서

주원규

# 7장 일요일
## 딸에게 쓰는 편지

# 1장

•

# 월요일

오늘은 첫 번째 날이자 마지막 날

우울증에
걸린
남자

여기, 삶의 무력감에 시달리는 한 남자가 있다. 그는 많은 것을 가졌고 이루어냈다. 단란한 가정을 꾸려 남부러울 것 없는 삶을 살아갔다. 하지만 그는 깊은 무력감에 빠졌다. 남자의 방황은 오랜 시간 계속되었다. 그것은 삶의 권태로움일 수도 있었고, 더 많은 걸 성취해야 한다는 강박일 수도 있었다. 마침내 그는 랍비를 찾아갔다. 탈무드의 가르침을 듣기 위해서였다. 남자는 털어놓을 게 많을 거라고 생각했는데, 막상 랍비를 마주하니 딱히 할 말이 없었다. 이유도, 문제도 벽에 부딪힌 기분이었다. 어디서부터 잘못된 걸까. 남자는 그 깊은 속마음은 잠시 접어두고 딱 한 마디만 남겼다.

"힘들고 어렵습니다. 뭔지 모를 문제의 벽에 부딪혀 이젠 지쳤네요."

지치고 힘들어하는 남자를 지그시 바라보기만 하던 랍비가 조심스럽게 입을 열고 말했다.

"오늘이 마지막 날이라고 생각하면 어떨까요?"

"오늘이…… 마지막 날이요?"

"당신의 인생에서요. 그럼, 잠시 혼란을 느끼겠지만 곧 가장 멋지고 풍성한 열매를 맺기 위해 노력할 겁니다."

"……."

"반대로 오늘이 생애 최초의 날이라고 생각한다면 더없이 활기 넘치고 희망차게 하루를 시작할 것이고요."


오늘이 마지막 날이라고 생각하라
또한 오늘이 첫 번째 날이라고 생각하라

안타깝게도 현대에는 우울증 환자가 넘쳐나고 있다. 이야기에 나오는 남자는 오늘을 살아가는 누군가의 모습일지도 모른다.

탈무드는 그런 인생의 고단한 문제를 담박하게 정리해주는 기술을 갖고 있다. 그것은 아마도 오랜 시간, 수많은 시행착오를 거치면서 다져온 유대인들의 내공이 축적된 결과물일 것이다. 유대인의 삶은 결코 단순하지도, 술술 쉽게 풀리지도 않았다. 안팎으로 어려운 일을 겪으며 더한층 복잡하고 어려운 길을 걸어야만 했다. 그런데도 유대인은 그 어려운 삶의 길을 최대한 담백하게 정리하며 자신과 자신의 가족에게 주어진 문제를 해결해나갔다. 그리고 그 담백함의 기술엔 하나의 근본이 자리 잡고 있는데, 바로 '지금'에 주목하라는 원칙이다.

지금 '나'에게 주목하라. 과거의 '나', 미래의 '나'가 아닌 바로 지금의 '나' 말이다. 지금에 주목하고 지금의 나를 사랑한다면 지금 나에게 주어진 이 '삶'이 진짜 나만의 시간이란 사실을 깨닫게 될 것이다. 그리고 그러한 깨달음은 내가 지금 이 시간을 마치 처음이자 마지막인 것처럼 느끼게 할 것이다. 그럼으로써 그 어느 때보다 소중하고 치열하게 열정을 불태우며 살아가게 할 것이다. 오늘이 생애 최초인 것처럼, 오늘이 세상의 마지막인 것처럼 말이다.


## '나'에게 주어진 삶은 어떤 모습인가

나에게 주어진 오늘이 처음인 것처럼 혹은 마지막인 것처럼, 아니면 그것을 넘어서서 생애 가장 중요한 날이라고 생각해보자.

딸을
위한
왕의 계획

한 왕에게 귀하디 귀한 딸이 있었다. 혼기가 찬 탓에 왕은 여느 아버지처럼 걱정이 많았다. 신랑감을 아무리 물색해봐도 마땅한 인물이 없었다. 딸이 마음에 들어 하는 남자가 있었지만 왕의 마음엔 결코 들지 않았다. 그래서 왕은 결심했다. 딸을 외진 곳에 보낸 다음 외부인과의 접촉을 철저히 금지하기로 말이다. 서로 만나지 못해 얼굴을 보지 않으면 어쩔 수 없이 헤어질 거라고 생각했다.

어떻게 되었을까. 왕의 계획대로 두 사람, 딸과 왕의 마음에 전혀 들지 않은 남자는 헤어졌을까. 물리적 환경이 그들의 사랑을 가로막았을까. 그렇지 않다. 남자는 여자를 찾아 헤매기 시작했다. 어느 날, 광야를 방황하던 남자는 추위를 피해 죽은 동물의 사체 속에 몸을 뉘었다. 그런데 그 사체를 커다란 새가 낚아챘고, 하늘 높이 날았다. 하지만 동물의 사체 안엔 남자가 잠들어 있었기에 새는 그 무게를 감당하지 못해 힘이 빠져 그만 허공에서 잡은 사체를 떨어뜨리고 말았다. 그런데, 그 떨어진 곳이 공교롭게도 왕의 딸이 머무는 외딴곳이었다.


## 우연마저 나를 향하게 되어 있다

탈무드는 필연이란 이름의 고귀함을 우연에서 찾으라고 말한다. 위의 우화는 그 필연의 가능성에 대한 이야기다.

따지고 보면 우리의 삶은 수많은 우연의 연속이다. 정해진 패턴대로 나름 단조로운 삶을 꾸려간다고 말하는 사람조차도 하루에 벌어지는 일을 찬찬히 들여다보면 우연, 혹은 예측할 수 없었던 사건들로 채워진 걸 알 수 있다. 그래서일까. 예측 불가의 우연에서 오는 변수를 줄이기 위해 우리는 무던히 애쓰는지도 모른다.

하지만 벌어진 일들을 또 가만히 들여다보면 나를 중심으로 전개되는 사건들이 우연이나 예측 불가한 일로 가득 채워져 있다는 생각에서 한 걸음 물러서게 된다. 우연으로 보이지만 사실 그 모든 일은 나와 관계된 의미 있는 일이거나, 목표를 성취하는 과정에서 나타나는 필연적인 산물인 것도 분명 있기 때문이다.

　이럴 때 사건을 바라보는 우리의 태도가 한층 중요해진다. 어떤 상황에서라도 '나'를 아끼고, 사랑하는 마음으로 삶을 대할 때, 모든 삶의 순간순간을 존중할 수 있으며 올바로 선택하고 행동하게 된다. 나를 사랑하는 마음 바탕 위에서 이루어지는 일, 관계, 생각의 흐름은 비교적 터무니없는 우연을 불러들일 확률을 좁혀준다. 아울러 전혀 예측할 수 없었던 사건이 쏟아져도 이를 차분하고 이성적으로 대할 수 있게 한다.

　나를 아끼는 마음 바탕을 마련하자. 그 위에서 보다 차분히, 비교적 세밀히 내가 지금 하는 일을 돌아보자. 그렇게 되면 우연의 사건마저 필연의 목표, 그 확실한 흐름 속에서 조율되고 통제될 것이다.


## 나의 일상에서 '내'가 주인공인가

　일상이란 단어를 특별하게 바라보자. 그 일상의 주인이 '나'라는 사실도 주목하자. 일상은 우연과 사건으로 가득하지만 결국 주인공인 '나'를 빛나게 할 것이다.

부자와
현자

자연스럽게 부자와 현자의 삶을 선택하게 된 두 남자가 있었다. 한 남자는 어릴 때부터 워낙 가난했던 탓에 가난에서 벗어나기 위해 열심히 돈을 벌었다.

돈의 흐름에 누구보다 민감했고, 시장의 원리를 철저히 이해하는 진가를 발휘했다. 결국 그는 많은 돈을 모았다. 누가 그를 '부자'라고 말해도 반박할 수 없을 정도로.

또 다른 한 남자는 어릴 때 부유한 환경에서 성장한 탓에 돈을 버는 방법에 대해선 무심한 채 살았다. 오히려 그는 학문에 뜻을 두어 세상의 이치를 깨닫는 일에 전념했다.

그런 그의 집념이 어느 정도 결실을 거둬 모두가 입을 모아 그를 '현자'라고 칭송할 정도의 사상가가 되었다.

오랜 시간이 흘러 부자와 현자가 한자리에 모였다. 사람들은 도덕과 지식의 깊이는 현자에게, 삶을 살아가는 처세에 대해선 부자에게 배울 수 있을 것으로 여기며 둘의 만남을 기대했다. 하지만 둘의 대화에서 사람들은 의외의 모습을 발견하곤 놀라워했다.

부자와 현자가 각각 말했다.

"나는 돈을 버는 관점을 현자의 사상에서 얻은 거요."

현자는 그에 대해 다음과 같이 답했다.

"내가 배운 지식이 정말 뜻있게 되려면 당신처럼 실천하는 힘이 필요한 것 같소."

이에 대해 둘은 결국 서로에게 분명한 한계가 있음을 인정하며 다음과 같은 답을 주고받았다.

"내가 돈을 버는 절대 묘안을 가진 게 아닌 것 같네요."

"나도 마찬가지예요. 많은 걸 배우고 익혔지만 갈수록 모르는 게 실천이고 현실입니다."

현자라고 해서 모든 걸 아는 게 아니었다. 또한 부자라고 해서 돈을 버는 절대 묘안을 가진 것도 아니었다.

## 가난하기 때문에 올바르고
## 부자라서 옳지 않은 것이 아니다

　돈의 중요성을 지나칠 정도로 강조하는 탈무드의 가르침과 정면으로 위배되는 것처럼 보이는 이야기다. 종종 부자와 현자를 대비해서 들려주는 탈무드의 가르침은 현자의 위대함을 부자는 결코 이해하지 못한다고 말하는 것처럼 들리기 때문이다. 하지만 여기엔 현자에 대한 이해 부족이란 함정이 뒤따른다. 부자와 현자, 둘 중 누가 위대할까 하는 단순한 물음에 우리는 당연히 현자와 부자를 대립 개념으로 이해하기 마련이다.

　하지만 탈무드의 기본에 충실히 따르면 돈의 중요성을 지나칠 정도로 철저히 깨닫고 실천하는 사람도 현자에 포함된다. 곧 돈의 중요성을 깨달은 사람을 현자로 본 것이다.

　그렇다면 돈이 지닌 가치의 소중함을 망각한 부자는 어떻게 보는가. 그 부자는 참된 의미에서의 부자가 아니다. 비록 돈을 많이 가지고 있지만 돈의 중요성을 제대로 이해하지 못했기 때문이다. 명심하자. 돈을 많이 가진 사람이라고 해서 반드시 돈의 중요성을 깨달은 사람은 아니다. 진짜 돈의 중요성, 돈의 소중함을 깨우친 사람은 그 깨우친 마음 자체만으로도 이미 현자다.

## '돈'에 대해 깊이 생각해본 적이 있는가

돈을 중요하게 여기고 그에 대해 깊이 생각한다는 게 돈을 많이 벌기 위한 고민만은 아님을 알아야 한다.

사면초가에
놓인
학교

재정적으로나 사상적으로 어려운 시기에 놓인 탈무드 학교가 있었다. 재단 문제, 학생들 사이에 일어난 분규, 교리적 충돌까지. 그야말로 사면초가란 말이 어울리는 상황이었다. 그래서일까, 탈무드 학교의 랍비들과 학생들은 서로를 위로하고 견뎌야 할 중요한 시기라 여겼다. 무엇보다 그들은 학교의 단합을 위해 참고 견디는 인내가 필요하다는 점을 강조했다.

그런데 학교를 대표하는 교장은 조금 다른 의견을 제시했다.

"어려움을 극복하고 성공하려면 물론 인내가 필요합니다. 하지만 인내만으로 충분하지 않다는 걸 반드시 인정해야 합니다."

학생들과 랍비들은 교장의 말에 의문을 제기했다. 수긍하기 어려운 말이었기 때문이다.

"교장 선생님, 그러면 인내 외에 무엇이 더 필요하다는 말씀입니까?"

교장이 빠르게 그 질문에 답했다.

"학교가 왜 어려운지 그 원인에 대해 질문해야 합니다. 바로 지금 여러분처럼요."


## 인내를 넘어 질문하고 질문하라

유대인의 삶의 지혜를 모아놓은 탈무드는 감성적 접근을 최대한 경계한다. 아울러 아무리 어렵고 힘든 외부 상황에서도 가능한 차가운 지성과 냉정한 판단력으로 현실의 문제를 바라보고 처리하려고 한다. 반면에 그들은 항상 불타는 호기심으로 사물을 여러 각도에서 보려고 끊임없이 노력한다. 그들은 무엇보다 문제 해결을 위해 질문을 멈추지 않는다. 질문에 질문을 거듭하며 스스로 가장 필요한 최선의 답이 무엇인지 고민한다.

"유대인은 왜 그렇게 꼬치꼬치 캐묻지?"

유대인에게 어떤 질문을 하면, 그것은 곧 새로운 질문이 되어

돌아오기 일쑤다. 참을성 있게 하나하나 묻지 않고는 원만히 문제를 해결하지 못한다는 신념이 바탕에 깔려 있기 때문이다.

위기를 극복하기 위해선 문제 해결이 반드시 필요하다. 하지만 그 해결의 문은 그냥 열리지 않는다. 스스로 직접 밀거나 당겨야만 열린다. 그 문이 자동으로 열리지 않는 이상 의지를 갖고 힘껏 밀거나 당겨야 하는 것이다.

질문의 중요성은 두말할 필요가 없다. 질문하지 않았을 때 벌어지는 숱한 시행착오를 겪으면 충분히 설득될 테니까 말이다. 더욱이 우리는 인내란 덕목을 생각할 때 질문하지 않고 그저 견디는 것을 자연스럽게 떠올린다. 참고 노력하다 보면 어느 때에 뜻한 바를 이룰 수 있다고 격려하면서 말이다.

하지만 탈무드에서는 인내의 덕목에 반드시 '질문하는 인내'도 포함해 가르친다. 질문한다는 건 때론 상대를 피곤하게 하거나 자기 자신을 지치게 할 수 있다. 너무 꼬치꼬치 캐묻는다는 인상을 주기 쉽고 스스로 자신이 세운 목표를 의심하는 것처럼 보일 수도 있기에 적당한 선에서 질문을 멈추고 인내하라는 직간접적인 요구를 받는 것이다.

하지만 그렇게 해선 의미 있는 성공을 이루기 어렵다. 탈무드는 우리에게 삶의 중요한 기본을 가르친다. 그리고 인내 역시 기본이란 사실은 하나의 전제가 된다. 하지만 그 기본만으로는 의미 있는 완성을 이룰 수 없다고 탈무드는 분명히 말한다. 의미 있는 완성은 질문을 멈추지 않는 것에서 이뤄진다. 그리고 마지막으로 하나 더 강조할 것은 그 질문에 대한 답을 직접 경험해보라는 것이다.


## 어디까지 물어야 하는가

목표한 바를 이루기 위해 미친 듯이 묻고 또 물어야 한다. 스스로의 한계를 절감할 때까지.

# 살아 있는
# 바다

현재의 이스라엘 지형을 살필 때 빼놓을 수 없는 강이 있다. 바로 요단강이다. 길고 깊게 펼쳐진 바다를 닮은 강, 요단강. 그 요단강 근처에는 커다란 호수 둘이 연결되어 있는데, 그 하나를 '사해死海' 라 부르고 다른 하나를 히브리어로 '살아 숨 쉬는 바다'라는 뜻의 '루아흐 얌'으로 부른다.

사해는 말 그대로 '죽은 바다'를 뜻한다. 그 호수가 죽은 바다 란 뜻을 가진 이유는 지리학적으로 명확하다. 다른 곳에서 물이 들어오기는 하지만 전혀 빠져나가지 못하기 때문이다.

반대로 다른 호수인 '살아 숨 쉬는 바다'는 다른 곳에서 물이

들어오기도 하고 다른 곳으로 빠져나가기도 한다. 이른바 들어옴과 나감이 유연하게 지속되는 것이다.

탈무드에서는 자신들이 처했던 환경에서 교훈을 얻는 경우가 허다하다. '죽은 바다'와 '살아 숨 쉬는 바다'란 이름을 가진 호수를 통해서도 탈무드는 이를 자비와 연결해 교훈을 준다. 자비를 베풀지 않는 사람, 남을 돕지 않는 사람은 죽은 바다, 즉 사해에 비교된다. 돈이 그에게 들어가기만 하지 나갈 줄을 모른다. 그래서일까, 사해에서는 아무것도 살아남지 못한다. 모든 것이 견고하게 굳어 죽어 있을 뿐이다. 반대로 자비를 베푸는 사람, 남을 돕는 사람은 살아 숨 쉬는 바다가 된다. 돈이 쉽게 나가기도 하지만 반대로 더 많이 들어오기도 한다.


## 경제의 기본 원리는 단순하다

경제의 원리를 탈무드에서는 저축에 무게중심을 두지 않고 순환에 둔다. 그들은 돈을 쓰는 소비 활동을 낭비로만 보지 않는다. 만약 어떤 이가 자기 자신만을 위한 소모적 소비가 아닌 다른 사람들과 더불어 먹고 마시거나 다른 이들에게 도움이 되는 소비를 한다면 그것은 결코 낭비라고 볼 수가 없다. 오히려 더 큰 의미에서의 저축이나 투자가 될 것이다.

　경제활동은 필연적으로 관계를 맺는 것이다. 내가 살기 위해서
는 다른 사람이 살아야 한다. 내가 다른 이의 물건을 팔아줄 때,
그 사람도 가치 있는 소비에 돈을 쓸 수 있을 것이다. 반대로 나만
살려고 돈을 모아둔다면 그 돈은 어디에도 쓰이지 못하고 굳어버
릴 것이다. 숨을 쉴 수 있는 경제 원리의 숨구멍을 틀어막는 이기
주의는 일시적으로는 돈을 아끼고 잘 사는 것처럼 보이게 하지만
결국엔 고립을 자초해 마치 죽은 바다처럼 말라버리게 할 것이다.


## 숨 쉬는 것처럼 살고 있는가

　들숨이 있으면 날숨도 있어야 한다. 지출을 두려워하지 않는 소
비, 다른 이들을 유익하게 하는 '가치 소비'에 대해 생각해보자.

아침 식사의
중요성

한 랍비 학교에서 제자가 수업에 늦지 않기 위해 아침을 거르고 학교에 나오게 되었다. 제자를 가르치던 랍비는 그를 매우 꾸짖었다. 제자는 이해할 수 없었다.

"선생님, 전 이해할 수가 없습니다. 수업에 늦지 않기 위해 아침 좀 거른 것이 이렇게 혼나야 하는 일인지 모르겠습니다."

하지만 선생 랍비는 단호했다.

"그건 네가 아침 식사의 효능을 제대로 실감하지 못한 탓이다."

"무슨 대단한 효능이 있단 말입니까?"

제자의 불만 섞인 질문에 랍비는 차분하지만 분명한 어조로 답했다.

"아침 식사는 더위와 추위를 막아준다. 바람을 막아 마귀를 내쫓는다. 아침 식사는 미련하고 아둔한 머리를 총명하게 만들고 복잡한 소송에 얽힌 이에게 승리를 선사한다. 아침 식사는 공부와 깊이 있는 학문 연구에 큰 도움을 주고 끊임없이 몸속에 쌓인 화를 밖으로 배출케 하여 분노를 지운다. 무엇보다 아침 식사는 마음의 진정한 평화를 유지하게 만든다."


## 깨어나고 먹고 사랑하라

탈무드에서 가장 기본적으로 가르치는 게 있다. 가르침이라고 하기엔 지극히 상식적이지만 의외로 중요하게 다루며 반복해서 강조한다. 그건 바로 아침 식사에 대한 이야기다. 이 가르침을 듣고 어떤 이는 실소를 터트리며 '아침 식사 하나 대단하네'라고 조롱할지도 모른다.

하지만 이건 모두 사실이다. 우리 대부분이 잠에서 깨어났을 때 맞이하는 시간은 해가 막 떠오른 아침이다. 이러한 현실에서 벗어날 수 없다면 우린 가급적 아침 식사를 해야 한다.

아침 식사를 하는 건 단지 신체적 건강만을 뜻하는 게 아니다.

아침 식사는 깨어난 나 자신을 위로하고 인정하는 일종의 의식이다. 오늘도 하루를 살아갈 이유와 용기를 주는 자기 격려다. 식사라는 건 먹는 행위다. 먹는다는 건 단순한 본능을 넘어서서 내가 깨어 있음을 확인하고, 그러한 사실이 얼마나 신비롭고 위대한 일인지를 새삼 실감하는 가장 직접적이면서도 가장 신성한 행위다. 그 신성한 행위의 순간순간을 한번 차분히 들여다보라. 그 순간을 사랑하지 않을 사람은 없다. 단언컨대 그렇다.

그렇기에 우리는 스스로에게 당당하고 기꺼이 요구해야 한다. 깨어나고, 먹고, 사랑하라고.


## 아침 풍경을 그려보자

아침에 눈을 떴을 때, 비록 눈살은 찌푸릴지언정 마음은 찌푸리지 말자. 깨어나는 것, 깨어 있는 건 그 자체로 축복이다.

# 독을 삼킨
# 개

어느 깊은 밤, 모두가 잠든 집 안으로 독사 한 마리가 슬그머니 들어오고 말았다. 독사는 몸 전체에 독을 가득 품고 언제든 누구라도 물 준비가 되어 있었다. 본능적으로 자신의 독을 쏟아내길 원했다. 그렇게 독이 바싹 오른 독사가 우유 항아리를 발견했다. 가족들이 먹을 우유를 가득 담아놓은 항아리였고, 독사는 우유가 든 항아리 속으로 들어가 깊이 똬리를 틀었다. 그러다 보니 자연스럽게 우유에 독사의 독이 퍼지게 되었다. 우유가 가득 담긴 항아리는 눈에 보이지는 않지만 온통 독으로 가득 차게 되었다. 그런데 독사가 항아리 안으로 들어가는 걸 본 유일한 목격자가 있었다.

바로 그 집에서 기르던 개였다.

다음 날 아침, 잠에서 깨어난 가족은 여느 때와 다름없이 아침 식사를 하기 위해 식탁에 모였다. 항아리에서 우유를 꺼내 마시려고 했다. 그러자 그때, 개가 필사적으로 짖기 시작했다. 한 번도 본 적 없는 사나운 모습에 가족들은 적잖이 당황스러워했다. 개가 왜 그러는지 이해하지 못했다. 개는 계속 짖었지만 그래도 가족들은 식사를 해야 했기에 우유를 따라 마시려고 했다. 그러자 개는 몸을 던져 항아리를 밀쳤고, 가득 찬 우유가 바닥에 엎질러졌다. 개는 즉시 그 우유를 핥아 먹었다. 독이 스며든 우유를 먹은 개는 결국 그 자리에서 죽고 말았다. 이 모든 과정을 지켜본 가족은 우유에 독이 스며들어 있다는 사실을 알게 되었다.

## 신뢰는 어디에서 오는가

이 이야기는 탈무드에서 종종 인용되는 우화다. 비교적 직설적이고 명확한 의미를 지닌 이 우화는 탈무드 학교에서 랍비들이 줄곧 중요하게 다루고 있다. 충성과 변함없는 신뢰에 대한 가르침을 담고 있기 때문이다.

어느 조직이나 인간관계에서 그 관계가 유지되는 힘은 내가 듣기 좋아하는 말이나 겉으로 볼 때 호감 가는 외모 혹은 내 취향에 맞는 스타일 때문만은 아니다. 취향이나 선호도 같은 것이 진짜 관계를 지탱하는 핵심이 아니기 때문이다. 서로 좋아하고 지향하는 것이 맞는다고 해서 꼭 의미 있는 결과를 만들어내는 것도 아니다. 겉으로 좋아 보이고 잘 들어맞더라도 오히려 그것이 독이 되는 경우도 있다.

그렇다면 진짜 관계를 지탱하는 핵심은 어디에서 오는가. 일상의 무덤덤함을 공유할 수 있는 관계에서 오는 건 아닐까. 비록 자신의 구미나 취향에 맞지 않더라도 전체적인 안목에서 봤을 때, 도움이 되는 관계 말이다. 특별히 기쁨을 주거나 겉모습으로 빼어난 매력을 풍기지 않더라도 일상의 한 순간순간을 함께 지속할 수 있는 관계, 그런 관계에서야말로 진짜 변함없는 신뢰가 쌓인다.

오늘날 우리가 사는 학교, 직장, 가정에서는 하루가 멀다 하고 사건 사고가 터진다. 그래서일까, 사건 사고를 줄이기 위해 새로 친구를 사귀거나 새로운 사람을 웬만해서는 만나지 않으려 한다. 혹은 나와 취미나 관심사가 맞는 사람하고만 어울리고자 한다. 하지만 그렇게 되면 세상을 보는 눈은 좁아지고 생각 또한 편협해질 수밖에 없다. 비록 나와 취미나 관심사가 맞지 않는다 해도 보다 폭넓은 관계를 위해 마음을 열어두는 지혜가 필요해지는 요즘이다.

# 변치 않는 '나'를 발견하라

나를 차분히 떠올려보는 시간이 필요하다. 나를 돌아보며 내가
진짜 변함없이 '나'라고 말할 수 있는, 핵심을 이루는 '나다움'이
무엇인지 발견해보자.

2장

•

# 화요일

가장 평범한 것이 가장 신성하다

# 평범한 날의 기준

탈무드의 가르침에선 평범한 날에 대한 기준이 불분명하다. 가령 이런 것이다. 일상의 모든 날을 신성한 안식일*처럼 지내는 모습이야말로 신을 향한 가장 신실한 자세라고 주장하는 태도 같은 것.

알다시피 유대인에게 안식일은 아무것도 하지 않는 날이다. 세속에서 익숙하게 행하던 모든 일을 내려놓고 절대에 가까운 안식일을 지키면서 신을 기억하는 신성함을 극대화하라고 가르친다.

그런데 그 가르침이 안식일이 아닌 평범한 일상에서도 요구된다면 얼마나 큰 부담으로 다가올까. 아마도 현대사회를 살아가는 우리는 이 요구를 허황된 것으로 치부할지도 모르겠다. 또한 아예 더

철두철미하게 신성한 의식을 지키기 위해 자신의 일상을 희생하는 것으로 생각할지도 모른다.

이러한 문제의식의 바탕 위에서 탈무드는 평범한 날을 신성한 날에 더해야 한다고 가르친다. 신성한 날은 우리에게 주어진 특별한 절기와 같다.

유대 종교의 특징 가운데 하나는 달력에 표시되는 신성시되는 시간, 즉 절기의 표기다. 정의상, 하나의 절기는 24시간을 말한다. 하지만 가르침을 주는 랍비들은 이러한 절기들이 좀 더 일찍 시작해 좀 더 늦게 끝나야 한다고 말한다. 우리는 절기에 해당하는 날의 앞과 뒤에 해당하는 평범한 날들로부터 시간을 빌려와 절기에 더해야 한다.

예를 들어 안식일에 해당하는 시간은 어떻게 계산해야 할까. 원래대로라면 금요일 해가 질 때 시작되어 토요일 저물녘에 끝나야 한다. 하지만 유대인들은 안식일을 조금 더 일찍 시작한다. 적어도 해가 지기 20여 분 전에 초를 밝히며, 하늘에 별이 세 개 나타난 뒤에야 끝낸다. 그런 맥락에서 안식일은 24시간이 아니라 25시간 동안 지속하는 게 맞다.

# 가장 평범한 것이 가장 신성하다

　우리는 대부분 우리에게 주어진 삶의 순간이 특별하고 다채롭기 바란다. 그런 순간을 통해 자신이 특별한 존재로 인정받는 게 기뻐서일 수도 있고, 삶이 다채로운 이벤트로 채워지지 않으면 흔히 말하는 사는 재미를 찾을 수 없기 때문인지도 모른다.

　하지만 만약 누군가 이렇게 묻는다면 어떻게 답할 것인가? 당신은 가끔 찾아오는 특별함을 위해 사는가, 아니면 길가에 구르는 돌처럼 지극히 평범한 일상을 위해 사는가? 쉽게 답하기 어려운 질문이다. 하지만 곰곰이 생각해보면 우리가 느끼는 특별함은 다채로운 이벤트들이 일상에 포개어질 때야 체감되는 상대적인 반응임을 알 수 있다. 그러므로 우리의 일상이 그 특별함의 기초 재료가 되는 셈이다.

　다시 들여다보자. 그러면 상투적이지만 부정할 수 없는 하나의 진심을 마주하게 된다. 다시 돌아오지 않을 삶의 순간순간을 찰나의 특별함으로 남기길 바라는 마음 말이다. 우리의 일상은 때론 지루하고 때론 힘겹다. 이 순간이 어서 빨리 지나가기만 바랄 때도 흔하게 찾아온다. 삶이 단순하지 않을 때, 이런 고민은 더 선명해진다. 하지만 이 순간은 결코 허투루 지나가지 않는다. 망각의 강에 의도적으로 빠져든다 해도 과거의 상흔이 떠올라 이 순간과 일상을 물들인다. 이렇듯 그냥 지나가는 시간이란 없다.

그러므로 평범한 순간순간이 켜켜이 쌓여 삶이 된다는 것, 결국 평범한 순간순간이 우리의 특별함을 일궈낸다는 사실을 잊어서는 안 된다.

랍비들은 말한다. 각각의 시간을 소중히 여기며, 주어진 그 시간을 꼭 붙들고 지속하라고. 평범한 시간을 신성한 시간에 더하는 것이야말로 인생의 위대한 비결 가운데 하나다.


## 무엇이 특별한 것일까

특별함은 어디에서 온 것일까. 반대로 평범함은 무엇일까. 특별함과 평범함을 나는 어떻게 이해하고 받아들이는지 생각해보자.

---

**안식일**安息日은 유대교에서, 일주일의 제7일인 성일聖日이다. 금요일 일몰에서 토요일 일몰까지를 이르는데, 이날은 모든 일을 하지 않고 휴식을 취한다.

두 상인의
다툼

두 명의 상인이 함께 장사를 하다가 분쟁을 겪게 되었다. 둘 중 한 사람인 상인 A가 상인 B에게 분쟁의 책임이 있다고 말했다. 반대로 책임을 지목당한 B는 자신은 책임이 없다고 항변했다. 이런 경우 대부분의 사람은 분쟁의 당사자로 지목당한 상인 B에게 문제가 있을 수도 있다고 생각한다. 그들은 이 문제를 탈무드 학교에 가서 묻고 지혜를 구하기로 했다. 하지만 랍비들의 의견은 조금 달랐다. 분쟁의 책임을 지목한 A에게 먼저 책임을 물어야 한다고 말했다. 대표 랍비는 이렇게 설명했다.

"만일 책임을 제기한 사람이 당사자에게 진실 규명의 기회를 충분히 주지 않고 주변 증거나 정황, 자신의 주관적인 생각으로 그 책임을 돌려 그 사람에게 가혹하고 예측 불가한 결말이 생긴다면 그 파급력을 어떻게 감당할 수 있단 말입니까.”

더불어 랍비는 분명한 한 마디를 덧붙였다.

“사람은 천 명의 타인보다 자기 자신을 훨씬 더 잘 안다.”


# 사람은 천 명의 타인보다 자기 자신을 훨씬 더 잘 안다

이렇듯 탈무드를 보면 랍비들의 가르침에 무릎을 칠 수밖에 없거나 당황하고 어이없어 책장을 덮게 되는 일이 종종 발생한다. 그런데 그 이유를 살펴보면 매우 단순한 사실을 발견하게 된다.

사실 사람들이 세상에서 가장 잘 알 수 있는 것은 그 무엇보다 바로 자기 자신이다. 만약 누군가 무언가를 훔치고 싶은 마음을 먹었다면, 그것을 알 수 있는 사람은 당사자밖에는 없으니 말이다.

율법으로 대표되는 탈무드 가르침의 본질을 들여다보면 원론적 상황에 대한 제시로 가득 차 있다. 그리고 그 원론에 따라 생각하고 현실을 들여다보며 적용하는 걸 율법에서 말하는 신의 뜻이라 한다. 그것이 바로 탈무드 가르침의 핵심인지도 모른다.

이때 말한 원론적 상황이란 무엇일까? 바로 인간다움이다. 바람직한 세상살이에 대한 보편적인 틀거지인 셈이다. 물론 인간다움 자체는 소중하지만, 그것은 상황과 환경, 생각하고 성찰하는 수준에 따라 천차만별로 적용된다. 그렇다고 이것을 이상과 현실의 차이를 인정해 현실에서 벌어지는 일을 대충 수습하며 살아가라는 적당주의로 보는 건 곤란하다. 보편적인 인간다움에 대한 가르침을 더 깊이, 치열하게 성찰하는 존재는 반드시 자신의 삶과 내면에 대한 관심의 끈을 놓지 않는다.

앞선 이야기처럼 한 사람의 진실은 당사자가 가장 잘 아는 법이다. 우리는 주변 정황, 증언, 자료를 근거로 진실을 파악하려고 애쓴다. 하지만 결정적 진실은 당사자의 고백에 있다는 걸 부정할 수 없을 것이다.

그리고 분명한 건 우리 모두는 더 나은 인간다움을 위해 늘 고민하는 존재라는 점이다. 그런 고민이 변증법辨證法적으로 모순과 대립을 거쳐 상승을 이루는 상태가 되는 것, 그것이 바로 탈무드의 가르침이 제안하는 최상의 도달점이다.

## '나'답게 산다는 건 뭘까

더 '나'다운 삶은 진실을 숨기지 않고 드러내는 삶이다. 나의 진실을 지지해줄 첫 시작점은 다른 누구도 아닌 바로 '나'이기 때문이다.

스승과
제자의
온도 차이

경제적으로 힘들고 어려운 시간을 보내는 한 남자가 있었다. 이를 안타깝게 여긴 대학 시절 은사가 제자를 특별히 호출했다. 만나서 할 얘기가 있다는 거였다. 스승의 호출에 남자는 작은 희망의 불씨를 발견한 듯 기뻐했다. 스승으로부터 조그마한 도움이라도 받을 수 있을 거란 기대가 생겼다.

그렇게 한걸음에 은사인 교수를 만난 남자. 그는 없는 형편이었지만 교수에게 식사를 대접했고, 디저트로 커피까지 마셨다. 남자는 자신의 현재 사정을 솔직하게 고백했다. 교수는 진심으로 이야기를 듣고 함께 고민해주었다. 그리고 역시 진심을 담아 지금까지 제자가 살아온 삶에 대해 상담해주었다. 경제적으로 어느 부분이 소홀했는지, 어떤 선택이 좋지 않았는지 분석도 해주었다. 남자는 귀담아들었다. 그렇게 티타임까지 나눈 교수가 남자의 어깨를 다독여주며 격려했다. 그 역시 진심이었다. 하지만 그렇게 교수가 돌아서자 제자는 다급하게 그를 붙잡았다. 그리고 분통을 터트리듯 말했다.

"아니 교수님, 그냥 이대로 가시면 어떡합니까?"

"무슨 말인가. 내 진심 어린 지혜를 담아 자네에게 충고해주지 않았나."

"교수님, 죄송한데 교수님은 지금 저에게 가장 쓸모없는 충고를 해주셨습니다."

"그게 무슨 소리야? 가장 쓸모없는 충고라니."

"교수님이 저에게 진심이시라면 제가 지금 진정 뭘 원하는지 물어보셨어야죠. 전 지금 백 마디 설교보다 돈 만 원이 중요하단 말입니다."


## 백 마디 설교보다 더 중요한 게 돈 만 원이다

인정하기에 마음 아프지만, 우리 삶에서 돈의 위력이란 실로 막

강하다. '돈은 닫혀 있는 모든 문을 열 수 있다'고 한다. 돈의 여유가 있으면 집안이 화평하고, 돈의 여유가 없는 가정에서는 불평과 불화가 일어날 가능성이 크다는 것은 어느 사회에서나 마찬가지다. 인간은 본능적으로 부요함을 욕망하므로, 그것을 나쁘다고 말할 수도 없다.

또한 돈은 사회생활에서 꼭 필요한 도구다. 돈이 모든 것을 좋게 할 수는 없지만, 그렇다고 모든 것을 부패하게 하지도 않는다. 돈은 삶의 모든 면을 반짝반짝 빛이 나게 한다거나, 혹은 모든 악의 근원이 된다고 생각하는 것은 잘못이다. 돈은 인간에게 하나의 수단일 뿐 결코 목적이 될 수 없다.

많은 민족이 자기 나라를 세우고 역사를 창조해나가는 동안에도 유대인들은 어둠 속에서 끊임없는 박해를 받아왔다. 그들은 자신들만 머물 수 있는 제한 지역에서조차 밀려났고, 토지를 소유하거나 물건을 만들어 파는 행위도 법률에 의해 금지되었다. 게다가 살고 있는 지역마다 언제 쫓겨날지 몰랐기 때문에 늘 불안한 나날을 보내야만 했다.

영토를 가진 민족이라면 자신들이 살고 있는 곳의 나무와 돌, 시냇물 같은 것을 아주 가까이 느낄 수 있다. 하지만 유대인들은 오늘날까지도 그러한 생각을 하지 못한다. 그렇다면 그들에게는 과연 무엇이 힘이 되고, 무엇이 그들을 지탱하게 하는 구심체가 되었을까? 그것은 오직 돈뿐이다. 그렇기에 유대인들은 기독교 사회처럼 돈을 천시하거나 돈이 죄악의 씨앗이라고 생각하지 않는다. 돈은 쓰기에 따라 얼마든지 좋게 사용될 수 있으며, 돈 그 자체에는 아무런 책임이 없다고 여긴다.

## 나에게 '돈'은 무엇인가

돈은 우리 삶을 움직이게 하는 막대한 가치다. 하지만 돈은 또한 그냥 돈일 뿐이다.

토라의
중요성

B.C. 3~1세기, 유대 민족이 로마의 지배 아래 있을 때였다. 먼저 로마 정부는 유대인들이 목숨처럼 여기는 토라* 교육을 중단하는 정책을 단행했다. 그 단적인 예로 '토라' 필사본들을 땅에 모두 묻으라고 명령했다. 이러한 정책으로 적지 않은 탈무드 학교들은 고통과 울분을 머금고 토라를 묻어야만 했다. 하지만 가장 중심가에 있던 탈무드 학교의 대표 랍비는 토라를 땅에 묻지 않았다. 심지어 언제나처럼 토라를 가르쳤다. 로마의 관리와 군인들이 언제든 들이닥칠 상황이었다. 이를 두렵게 여긴 제자가 토라 수업이 끝난 뒤 조심스럽게 질문했다.

"선생님, 선생님은 로마의 창과 칼이 두렵지 않으신 겁니까? 이렇게 공개적으로 토라를 배우다가 모두 죽을지도 모릅니다."

하지만 이에 대한 랍비의 답은 지극히 우화적이었다.

"인간이 던져놓은 그물을 피하기 위해 필사적으로 도망치는 물고기 떼가 있었다."

"아니, 선생님. 지금 우리가 다 죽게 생겼는데, 왜 갑자기 물고기 이야기를 하시는 겁니까?"

"흔히 그렇게 생각하겠지. 물속에 던져진 그물을 피하려면 육지로 도망치면 되는 거 아니겠냐고. 하지만 그렇지가 않아. 물고기는 물속을 벗어나면 살아날 수가 없어. 잠시도 살 수 없지."

"그렇다면……"

"내가 무슨 말을 하고 싶은지 알아듣겠지? 우리도 마찬가지다. 토라를 배우는 중에도 이렇게 위험이 더하는데, 하물며 토라를 배우지 않는다면 그 결과는 어떻게 되겠느냐?"


## 길들어지지 않는 법이 있다

유대인들을 향한 세계의 핍박은 거칠고 포악했다. 특히 유대 민족이 받은 핍박은 우리나라의 일제강점기 때와 감히 비교될 만하다. 그런 유대인들이 어떤 상황에서도 포기하지 않았던 것이 토라를 배우는 일이었다.

배움과 깨달음, 지식이란 게 때로 무슨 의미가 있는지 모를 때가 종종 있다. 실용주의 사회, 기술 위주의 사회를 살아가다 보니 깨달음보다는 기술이 우리 삶을 압도할 때가 더 많기에 그렇다. 매스미디어 mass media의 혜택 역시 마찬가지다. 우리 삶에 스며든 첨단 기술과 문화 혜택은 우리에게 나를 돌아보는 것이나 지식의 중요성을 점점 잊게 한다. 하지만 잊지 말아야 할 점이 있다. 스스로 나를 돌아보는 걸 멈추고, 기술과 문화 문명이 가져다주는 편리함에 나를 자꾸 내맡긴다면, 어느 순간 나는 완전히 기술과 문명의 일부가 되어버릴지도 모른다는 사실이다.

위의 예화처럼 로마라는 나라가 다스리는 직접적 식민지 사회가 아니어도, 현재의 우리는 삶에서 압도적인 기술과 문화 문명의 노예가 되어가는 사회 시스템에 스스로 길들어가고 있다. 시스템은 우리에게 약간의 유익이나 편리성을 제공할 순 있지만 진짜 숨을 쉴 기회를 박탈해간다. 이때 말하는 진짜 숨이란 나의 성찰을 통한 깨달음, 즉 정신의 열림을 뜻한다.

# 나에게 진짜 숨을 쉬게 하는 공부는 무엇인가

나를 주체적으로 살게 하는 것이 무엇인지 생각해보자.

**토라**는 《구약성서》의 첫 다섯 편으로, 곧 〈창세기〉·〈출애굽기〉·〈레위기〉·〈민수기〉·〈신명기〉를 말한다. 흔히 모세오경이나 모세율법이라고도 하며 유대교에서 가장 중요한 문서다. 히브리어로 '가르침' 혹은 '법'을 뜻한다.

신조차
원하는
것

신에게 진심으로 정성을 다하기 위해 자신이 소유한 모든 것을 처분한 한 남자가 있었다. 하지만 그는 진심이 담긴 깊은 뜻, 즉 오랜 시간 축적해온 신을 향한 자신의 심오한 깨달음을 누구에게도 말하지 않았다. 자신의 지인, 동료, 가족, 심지어 키우는 개에게조차 말하지 않았다.

이를 지켜본 한 랍비가 의외의 답을 들려주었다.

"당신의 신앙은 마음에 머무른 말이고, 마음속에 있는 말은 말이 아닙니다."

"제 신앙은 의심의 여지 없이 숭고하고 비밀스러운 것입니다. 어떻게 그렇게 말씀하십니까?"

"당신이 추앙하는 신조차 그 뜻을 표현하고 알려주길 바랍니다. 당신의 기쁨, 슬픔, 아픔을 말입니다. 그러니 당신도 마음에만 담아 두지 말고 말을 해야 합니다. 알려주어야 합니다. 상대가 당신의 뜻을 알아줄 때까지요. 보이지 않는 신조차 그걸 원하기 때문입니다."


## 마음에 머문 말은 말이 아니다

어떤 일을 할 때 외적인 환경 때문에 억지로 하는 사람은 필연적으로 마음에서 갈등을 느끼기 마련이다. 랍비들은 깊은 내적 갈등, 곧 마음에 조금이라도 거리낌이 있으면 실체로 간주하지 않아야 한다고 가르친다.

현대사회에서 소통의 중요성은 대단하다. 그 중요한 소통을 단순히 권장하거나 강조하는 수준에 머물러선 안 된다. 소통은 최소한 사람답게 살아가기 위한 필요조건이 분명하다. 어쩔 수 없이 복잡한 이해관계가 뒤섞여버리는 현대사회에선 단순한 문제에서도 충분한 소통이 이뤄져야 한다. 한번 오해의 실타래가 생기면 가속이 붙어 걷잡을 수 없이 뭉쳐지게 될 것이고, 결국 시한폭탄과 같은 부메랑이 되어 돌아오기 때문이다.

하지만 소통을 일방적 설득이나 자기 말을 통보하는 것과 착각하는 사람들이 너무 많아 또 다른 오해의 불씨가 되는 경우도 허다하다. 소통의 기본은 상대에게 자신의 의견을 솔직하게 있는 그대로 전달하는 것은 물론 그에 뒤따르는 여러 감정에 대응하고 서로의 진심을 확인하는 것까지 완결되어야 한다. 하지만 소통의 첫발을 떼기도 전에 상대에 대한 서운함, 자신의 억울함, 추상적인 공명심에 사로잡혀 자기 말만 앵무새처럼 반복한다면 그것은 침묵보다도 못한 결과를 낳게 된다.

분명한 자기 표현은 소통의 필수조건이다. 하지만 무엇보다 그 표현의 바탕에는 상대에 대한 배려가 가장 중요하다는 것을 결코 잊어선 안 된다.


## 소통을 망설이게 되는 이유는 무엇일까

무엇이 지금, 너를 향한 내 진심이 담긴 말을 표현하지 못하게 하는가.

'너를 좋아한다' '너를 아낀다' '너와 함께하는 것에서 큰 위로를 느낀다'와 같은 말을 왜 하지 못하는가. 혹시라도 상대가 나와 같은 마음이 아닐지도 몰라서? 정말 그런가.

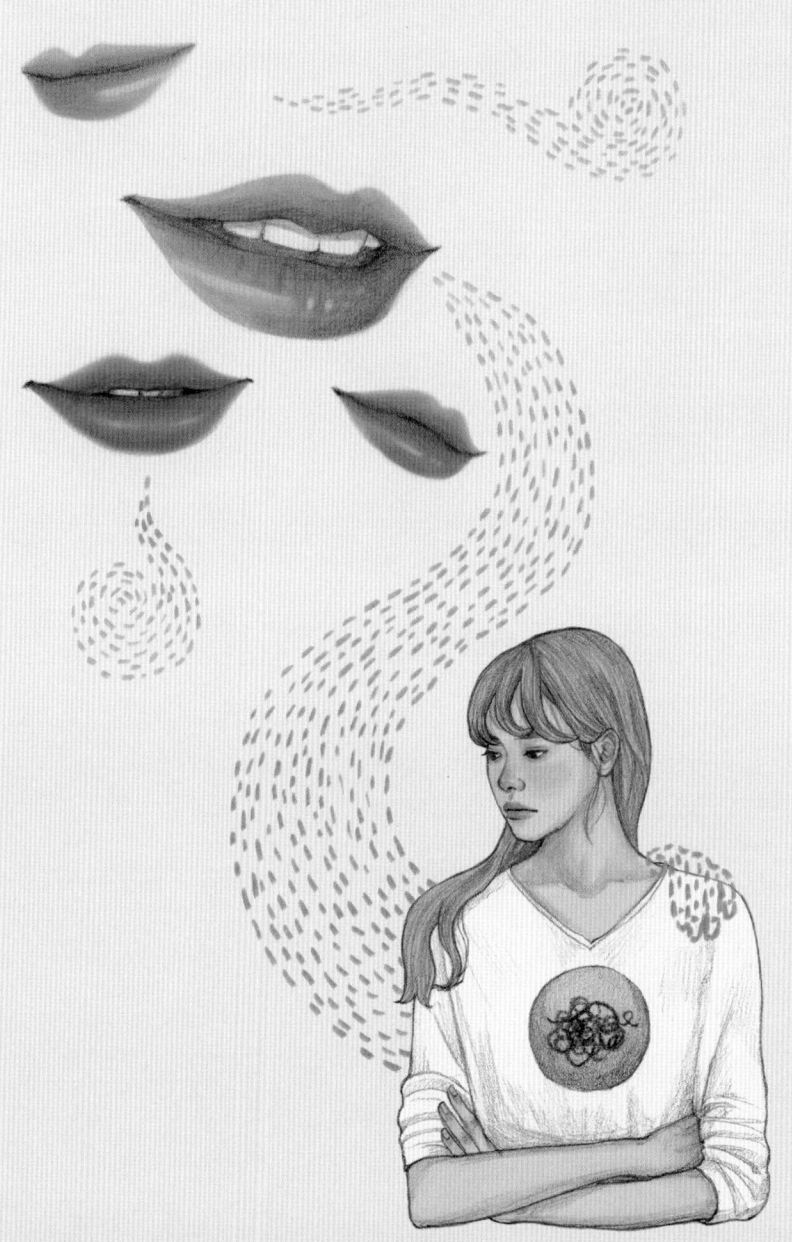

아버지의
무덤을
파헤친 아들

두 명의 남자아이를 키우는 부부가 있었다. 그들은 행복했고 그럭저럭 원만한 삶을 살았다. 그 사실을 알기 전까지는 그랬다. 우연히 남편은 둘 중 한 아이가 자신의 씨가 아니라 아내가 다른 남자와 관계를 맺어 얻게 된 아들임을 알게 되었다. 하지만 그 아이가 첫째인지 둘째인지는 몰랐다. 친자 확인 같은 방법을 시도할 수도 있었지만 그는 그렇게 하지 않았다. 기왕 키우는 거 모두 친아들이라 여기고 싶었다.

그렇게 세월이 흘러 그는 노환으로 병석에 눕게 되었다. 죽음을 예감한 그는 유언장을 남겼다. 유언장의 한 문장이 가족의 눈길을 사로잡았다.

'친아들, 한 명에게만 내 전 재산을 남겨주겠다.'

가족과 이들을 알고 지내던 랍비는 한 명뿐인 친아들이 누구인지를 가려내야만 했다. 랍비는 가족들에게 아버지의 유언을 정확히 따를 방법이 있다고 했다. 랍비는 두 아들을 불렀다. 죽은 남자의 무덤 앞에서 랍비는 두 아들에게 삽을 각각 손에 쥐여주면서 말했다.

"아버지의 무덤을 삽으로 파헤쳐보라. 진짜 파헤쳐볼 수 있으면 그 사람이 친아들이다."

두 아들의 행동은 분명하게 갈렸다. 한 아들은 망설이지 않고 아버지의 무덤을 삽으로 파헤쳤으며 다른 아들은 아무것도 하지 않았다. 그걸 지켜본 랍비는 반대의 결론을 내렸다. 약속과 다르게 아버지의 무덤을 훼손하지 않는 아들이 친아들이라고 판단했다.


## 태도에는 이유가 있다

사람이 사람다워지는 길에 대해 탈무드는 우회적으로 우리의 생각을 일깨워준다.

태도와 예의는 오래된 습관에서 비롯된다. 우리는 습관의 기원을 무의식적인 반복에서 찾는 경우가 많다. 그래서 자신이 그 행위를 반복하는 이유에 대해서는 특별히 질문하지 않는다.

탈무드에서는 인간이 인간을 대하는 태도에서 가장 기본이 되는 '존중'의 기원 역시 습관화된 예의에서 찾아야 한다고 말한다. 왜 우리는 부모님을 공경하는 걸까. 왜 우리는 이웃을 돌봐야 하는 걸까. 왜 우리는 형제가 곤경에 처하면 도우려는 마음을 가져야 하는 걸까. 그 근본적인 질문에 우리는 실제로 반복해서 부모님을 공경하고 이웃을 돌보는 실천을 통해서만 답을 얻을수 있다.

질문에 대한 정확한 답을 규명한 뒤 '나는 이러이러한 이유로 부모를 공경하는 것이다'라고 접근한다면 곤란해진다. '나는 어느 때부터 부모를 공경하고 이웃을 돌볼 거야' '나는 내가 만족할 때, 부모를 공경하고 이웃을 돌볼 거야'라고 시기나 목적을 정해놓는 것도 마찬가지다. 부모 공경의 때는 시기와 목적을 정해놓는 게 아니기 때문이다. 부모 공경, 이웃 사랑은 매일 반복되는 일상에서 실천해야 한다. 그럼으로써 자연스럽게 습관으로 묻어 나오게 하는 것이다. 그 반복이 우리에게 진정한 사람다움의 도리를 깨우쳐주기 때문이다.

## 나의 행동에 밴 습관은 무엇인가

가족, 학교, 회사에서 맺는 모든 관계를 존중의 힘으로 지탱하는 예의는 수천, 수만 번의 반복을 통해 나타난다. 어쩔 수 없다. 그게 진실이다.

# 행복에
# 대해서

오래전 두 유대인 학생이 있었다. 둘은 앞날에 대해 끔찍할 정도로 깊이 고민 중이었다. 한 학생은 장래가 보장되는 탄탄한 조직에 들어가 비교적 안정적인 삶을 꾸리는 것이 행복이라고 믿었고, 또 다른 학생은 개척자 정신을 갖고 스스로 풍파를 헤쳐나가며 자기만의 사상을 갖는 랍비가 되는 게 행복이라고 믿었다. 둘은 서로의 행복에 대한 신념을 존중했고 서로 격려했다.

시간이 흘러 두 학생은 성인이 되었다. 학생 때의 절박하게 타오르던 목표도 어느 정도 성취해 제법 행복하다고 느낄 법했다. 한 명은 안정적인 조직에 자리 잡아 결혼도 했고, 작지만 집도 마련했다.

다른 한 명 역시 생활은 다소 불안정하지만 랍비가 되어, 많은 사람들에게 존경과 선망을 받는 선도적인 사상가로 알려지게 되었다.

오랜만에 만난 둘은 학생 때를 추억하며 행복에 대해 물었다.

"우리…… 행복한 거 맞지?"

이상했다. 완벽하게 다 이뤘다고 말할 순 없지만 분명 목표를 어느 정도 이룬 것이 분명한데, 둘은 그 질문에 선뜻 '맞아'라고 답할 수 없었다. 그리고 곰곰이 생각해봤다. 그 생각의 끝에서 그들은 행복이 상대적임을 힘겹게 인정할 수밖에 없었다.

안정적인 삶을 원했던 학생에게도 깊은 사상을 펼치는 랍비의 삶에 대한 동경이 있었다. 반대로 개척가의 인생을 추구했던 학생에겐 자신이 처한 불안정한 생활에 대한 불만족이 있었다. 그때, 둘은 인정했다. 행복은 목표한 것을 이룬 것에만 있지 않다는 걸.


## 행복이 상대적임을 인정할 것

행복이야말로 모순 가득한 단어다. 이보다 더 추상적인 단어가 있을까 싶을 정도다. 그럼에도 행복은 우리가 결코 놓지 못하는 삶의 절대 명제다.

행복의 깊이를 측정할 수 있는 두 가지 효과적인 방법이 있다.

하나는 우리가 행복을 얻음으로써 알 수 있는 방법이다. 많은 사람은 자기가 얻은 것에 따라 행복의 크기를 잰다. 또 다른 하나는 잃는 것에 따라 행복을 알 수 있는 방법이다. 건강과 질병을 예로 들어보자. 우리가 평소 건강할 때는 건강에 대한 행복을 느끼지 못한다. 그러다가 건강을 잃고 병마에 시달리게 되면, 그제야 비로소 그동안 무관심했던 건강을 회복하고자 몸부림친다. 행복도 이와 마찬가지다. 행복에 취해 있을 때는 전혀 느끼지 못하다가 잃고 나서야 그 소중함을 깨닫게 되는 것이다.


## 나는 무조건적인 행복에 매달리고 있지는 않은가

오히려 '행복' '행복하다'는 개념에 대해 조금 힘을 빼고 생각해보자. 행복이 목표가 되는 순간 오히려 불행할 수도 있으니 말이다.

3장

•

# 수요일

타인을 제대로 보고 있는가

신부 앞에서
부르는
노래

"어느 지방에 사는 이들은 결혼식을 앞둔 신부 앞에서 이런 노래를 부릅니다. 한번 들어보겠소?"

    화장을 하지도
    액세서리를 하지도
    머리를 물들이지도 않았는데
    매력이 가득하구나.
    그날이 신부를 아름답게 하니까.
    그 마음이 신부를 매력적이게 하니까.

# 매력은 다양한 부분에서 나타난다

탈무드는 사람의 매력이 어디에서 오는지를 묻는 많은 이의 질문에 확실한 답을 주지는 않는다. 매력은 다양한 부분에서 나타나므로 최대한 답을 아낀다.

그렇다고 아예 답을 안 주는 건 아니다. 랍비들은 공통으로 사람의 겉모습에서 나오는 매력을 위의 노래처럼 풀어내곤 한다.

인간의 외적인 특징이 먼저 보이긴 하지만 탈무드는 겉모습을 뚫고 나타나는 내면의 훌륭한 자질들을 발견해야 한다고 얘기한다.

굳이 신의 창조를 말하지 않더라도 사람은 참 아름답다. 견해나 정도의 차이는 있어도 '사람이 아름답다'는 명제에 대해 반기를 들 만한 분명한 이야기는 없다고 생각한다.

하지만 우리는 모두 나의 모습이 타인에게 비쳐질 때, 더 아름답고 더 좋게 보이고 싶은 마음을 갖는다. 그것 역시 진실에서 비롯된 것이지만 때론 그러한 마음이 과해 타인보다 항상 더 아름답고 가치 있어 보이려고 우리는 경쟁과 질투, 이기적인 욕망에 시달리게 된다.

그리고 그것은 곧 불행의 씨앗이 되어버린다. 겉으로 보이는 모습에 매몰되어 '사람은 참 아름답다'는 고유의 명제를 상실해버렸기 때문이다.

## 타인을 제대로 보고 있는가

    나에게 주어진 삶 그 자체에서 아름다움과 매력을 찾을 수만 있다면, 타인 역시 그러한 눈으로 바라볼 수 있지 않을까. 그럼 그 혹은 그녀가 제대로 보이지 않을까, 있는 그대로.

세 딸을
둔
아버지

아주 오래전 세 딸을 둔 아버지가 있었다. 세 딸은 모두 똑똑했고 미모가 뛰어났다. 마을 사람들은 그런 딸들을 둔 아버지를 무척 부러워했다.

공교롭게도 그 마을엔 아들만 셋을 둔 아버지도 살고 있었다. 그래서일까, 자연스럽게 아들만 셋을 둔 아버지가 찾아와 인사를 나눈 뒤 용건을 밝혔다.

"솔직히 말씀드리죠. 저에겐 아직 결혼하지 않은 세 아들이 있습니다. 마침 당신도 결혼하지 않은 세 딸이 있는 걸 알고 있습니다. 가능하다면 우리가 사돈의 인연을 맺는 게 어떨까요?"

"참으로 감사한 말입니다. 저도 그 가능성을 내내 마음에 두고 있었습니다. 그런데 망설여지는 게 하나 있어서요."

"그게 무엇입니까?"

"세 딸이 모두 한 가지씩 결점을 갖고 있습니다. 제일 큰 딸은 너무나 게으르고, 둘째 딸은 여간해선 고쳐지지 않는 도벽이 있습니다. 그리고 막내는 이것 참⋯⋯ 남을 헐뜯고 욕하는 고질적인 나쁜 습관을 갖고 있네요."

세 딸을 둔 아버지는 솔직하게 딸들이 가진 약점을 털어놓았다. 하지만 세 아들을 둔 아버지는 개의치 않는다고 했다. 약점 없는 인간이 어디 있느냐며 살아가면서 고쳐나가면 된다고 했다. 그렇게 셋은 결혼했고, 얼마 후 아버지가 세 딸을 찾아가 결혼 생활이 어떠냐고 물었다.

변한 건 없었다. 첫째 딸은 모든 살림을 다른 사람이 해주기 때문에 게으름을 피우며 하루하루 편하게 지낸다고 했으며, 둘째 딸은 갖고 싶은 물건은 원하면 가질 수 있기 때문에 굳이 남의 것을 훔치지 않아도 살 만하다고 답했다. 끝으로 막내는 시아버지에 대한 불만을 끝도 없이 털어놓으며 괴로워 견딜 수 없다고 말했다.

이 말을 들은 아버지는 막내딸의 말만큼은 믿지 않았다. 이유는 간단했다. 막내딸은 오랜 시간 남의 험담만 했기 때문이다. 그 말을 곧이곧대로 믿을 순 없었다.

## 진짜 솔직함은 칭찬에 있다

거짓과 비난은 이상하리만치 닮았다. 위의 탈무드 이야기는 우리가 누군가를 만났을 때 그 사람이 무언가를 비난하는 정도에 따라 그를 신뢰할지 말지를 정해야 한다는 사실을 깨닫게 해준다.

신뢰는 솔직함에서 비롯된다. 상대가 솔직하지 않으면 믿음이 가지 않는다. 그런데 탈무드에서는 솔직함이란 상대를 존중하는 마음에서 비롯된다고 가르친다. 그것은 최선을 다해 상대를 믿는다는 의미이기도 하다. 그렇기에 상대를 비난하는 순간부터 존중, 솔직함, 신뢰가 차례로 무너진다.

그러나 그것은 비단 상대를 존중하지 못하기 때문만은 아니다. 상대를 비난하고 헐뜯는 습관은 결국 자기 자신을 믿지 못하는 불안과도 연결되어 있다. 자신에 대한 자존감이 현저히 낮을 때, 그 존재는 다른 사람을 비난하는 것을 통해 자신을 인정받으려 한다. 그러다 보니 관계를 맺고 있는 타인은 물론 자기 자신에게서조차 신뢰를 받지 못하는 것이다.

## 타인을 비난하는 진짜 이유는 무엇일까

'나'를 믿고 사랑하는 사람은 다른 이를 비난할 이유나 필요가 없다. 비난의 뿌리는 '나'에 대한 불신이라는 걸 명심하자.

젊은
부자가
남긴 말

어느 유대인 마을에 누구나 선망하는 젊은 부자가 있었다. 그는 매우 어린 나이부터 공부하면서 세상을 이해하는 원리를 배우고 깨우쳤다. 자신만의 비법으로 세상을 헤쳐나갔고, 마침내 많은 부를 축적하게 되었다. 그러자 많은 사람들이 그를 주목했고, 성공 비결을 궁금해했다. 어떻게 그토록 젊은 나이에 믿을 수 없을 정도의 부를 축적할 수 있는지에 대해 궁금해했고, 답을 찾고자 했다.

또한 사람들은 그를 위대하다고 여기는 데 의문부호를 붙이지 않았다. 세상의 숱한 장애물을 넘어 성공했기 때문에, 그것만으로도 충분히 그는 위대하다고 믿었다. 사람들은 그 젊은 부자에게 분명 성공할 수 있었던 이유와 어떤 특별한 기술이 있을 거라고 확신했다. 그래서 어떻게 해서든 그가 지닌 특별한 기술의 부스러기 한 토막이라도 얻어내기 위해 그와 만나기를 열망했다.

하지만 그는 쉽게 대중에게 모습을 드러내지 않았다. 사람들 앞에 나서는 것을, 사람들이 자신의 성공 비결에 주목하고 자신의 삶 속에 특별한 것이 숨어 있을 거라고 기대하는 것을 몹시도 부담스러워했다. 그럴수록 사람들은 더욱 그를 만나려고 열정을 쏟아부었다. 마침내 그는 사람들과의 만남을 허락했다.

하지만 그 만남은 많은 이들에게 허탈함을 안겨다 주었다. 동시에 새로운 질문과 도전 과제도 남겨주었다. 그는 결코 많은 말을 하지 않았다. 단지 몇 마디 말을 남기고 바람처럼 사라졌다.

"저를 위대하다고 생각하는 것을 버리십시오. 제게 뭔가 특별한 성공 기술이나 비법이 있을 거란 생각도 버리십시오. 위대한 사람과 악수하고 남는 건 향기뿐입니다. 향기가 사라지고 난 뒤엔 아무것도 남지 않습니다. 그 시간에 차라리 자신의 삶을 돌아보는 게 더 소중할 것입니다."

# 위대한 사람과 악수하고 남는 건 향기뿐이다

이 이야기의 해석을 시도할 때, 오해가 생기는 지점은 향기에 있다. 고결한 계급이나 세상에서의 온전한 성공을 이룬 존재와 교류했을 때, 틀림없이 우리는 감동한다. 그 위대한 존재의 여운이 오랜 시간 남을 수밖에 없음을 찬미하는 표현이 넘쳐난다.

하지만 탈무드에서 해석한 이 향기의 가르침은 허무함이다. 아무리 지금 내 앞에 모든 이가 존경해 마지않는 사람이 있다 해도 변하지 않는다. 또한 다른 사람들이 나와 그 위대한 존재가 함께한다는 것을 부러워하거나 경외의 시선으로 바라보아도 결국 그의 흔적과 여운은 한 줌 바람에 흩날리는 향기처럼 흔적도 없이 사라질 뿐이다.

단지 위대한 사람 곁에 있는 것만으로 우리가 얻을 수 있는 건 아무것도 없다. 위대한 사람의 지혜와 그의 가르침에 단지 해맑게 웃어 보이며 고개를 끄덕이는 것만으로는 우리 자신의 그 어떤 것도 바꿀 수 없다.

위대한 존재는 그 자체로 인정하고 존경하라. 하지만 그는 그이고 당신은 당신이다. 당신이 있는 자리에서 자신의 지적, 정신적인 성장을 바란다면 위대한 사람과 만나거나 악수 한 번으로 남게 되는 환상에 가까운 향기는 아무런 도움도 되지 못한다.

나는 인맥에 의지하는가
나 자신을 믿고 있는가

　인맥보다 자기 실력과 자기 정체성 확립이 더 시급하다는 것, 우
리 마음의 행동 리스트에 추가하자.

## 가난과
## 공부

어느 유대인 마을에 유난히 형편이 어려운 청년이 살고 있었다. 너무 가난한 나머지 책 사볼 돈은 고사하고 하루에 한 끼 때우는 것조차 힘들었다. 이처럼 가난할 수 있을까 싶을 정도로 청년에겐 하루의 허기를 채우는 게 필사의 목표가 되어버린 상황이었다.

그러다 보니 그를 알고 있는 사람들은 당장 학교부터 그만두라고 조언했다. 한 끼 해결도 못하는 주제에 공부는 사치라고 했다. 하지만 청년은 굶어 죽는 일이 있더라도 공부가 하고 싶었다. 책을 읽고 싶었고, 랍비 선생님의 끊이지 않고 이어지는 진리에 대한 가르침을 듣고 싶었다.

학비조차 낼 돈이 없던 청년은 결국 학교 지붕에 올라가 창문 틈으로 들려오는 랍비의 가르침에 귀를 기울였다. 어떻게든 한 마디 말이라도 담아내기 위해 발버둥을 쳤다.

그러던 어느 날이었다. 학교에서 공부하던 학생들은 언젠가부터 교실이 어두워진 걸 느꼈다. 그 이유를 확인하는 데는 오래 걸리지 않았다. 창문 사이로 스며드는 햇빛을 누군가의 그림자가 가렸기 때문이다.

진리와 지혜를 가르치던 랍비가 조심스럽게 창문을 열었다. 그리곤 학생들과 함께 그 그림자의 주인공인 가난한 청년을 발견했다. 몰래 수업을 엿들었다는 생각에 청년은 얼굴을 들 수 없었다. 하지만 학생들도, 랍비도 청년에게 부끄러움을 치우라고 명령했다. 그리고 청년이 함께 수업을 들을 수 있도록 학교 지붕이 아니라 교실 안에 책상 하나를 내주었다. 누구도 청년이 공부하기 위해 교실 한 자리를 차지하는 것을 반대하지 않았다.


## 배움은 반드시 이긴다

우리가 이겨야 할 악덕은 무엇일까. 그리고 왜 우리는 그것과 싸워 이겨야 하는 걸까.

안타깝게도 탈무드는 이상적인 평화를 가르치지 않는다. 탈무드의 지혜는 세상을 투쟁과 반목, 위기의 연속일 뿐이라고 냉정히 진단한다. 그리고 그 세상에서 벗어나기 위해선 싸워야 한다고 가르친다. 싸워 이기는 것이 필요하다고 말한다.

하지만 싸움의 목적과 대상이 특별하다. 우리가 싸워야 할 대상은 배부름과 게으름 그리고 양심 없는 마음이다. 양심 없는 마음은 지식의 부재에서 비롯된다. 배우지 않으면, 삶의 이치를 깨닫지 않으면 사람은 동물과 다를 바 없는 본능에 의지해 살아간다. 약육강식의 논리를 신봉하며 사는 사람은 가장 중요한 가치인 존엄을 잃어버린 채 살아가게 되고, 그 삶을 일시의 배부름을 위해 지탱하게 된다. 아울러 배움의 가치에 대해 철저히 게을러지고 만다.

잊지 말아야 한다. 우리가 이겨야 할 것은 이 배우지 않으려는 충동이다. 그 얄팍한 충동에 대해서만큼은 싸워 이기려는 마음을 가져야 한다. 그건 죄가 아니다. 사람이 사람답게 살려고 눈뜨는 가장 최소한의 시작점이다.


## 나는 어떤 충동과 싸워 이겨야 하는가

독서나 배움이 가난을 벗어나게 해줄 수는 없다. 하지만 적어도 나 자신을 부끄럽게 하지는 않을 것이다.

오래된
연인

어느 탈무드 학교에서 랍비를 준비하던 학생들은 사랑에 대해 한 가지 궁금증이 일었다. 사랑의 열정은 어디까지일까. 그들은 무척 궁금해하며 선생 랍비들에게 질문을 멈추지 않았다. 그런 학생들에게 어느 랍비가 들려준 유명한 일화가 있다.

　서로 사랑하는 오래된 연인이 있었다. 두 남녀는 절대 헤어지지 말자며 굳은 사랑을 맹세했다. 하지만 세월이 지나고 바빠지면서 둘의 사랑은 조금씩 변해갔다. 결혼이나 친밀한 관계, 낭만적인 사랑과 같은 것은 지금 자신들의 형편에선 사치라고 생각했다. 성공부터 이루자고 했다. 차츰 연인의 관계는 서먹하게 변했

다. 그렇게 둘은 서로의 인생에서 이루고자 하는 목표에 집중했
다. 시간이 흘러 연인은 각자의 자리에서 만족스러운 성공을 이
루었고, 때마침 연인이 된 지 10주년을 맞이했다. 좋은 곳에서 식
사를 했고 좋은 술도 곁들었다. 분위기가 무르익었지만 둘은 이
상하리만치 서먹했다. 서먹함의 끝에서 남자가 조심스럽게 말문
을 열었다.

"그거 알아?"

"뭘?"

"우리의 사랑이 강했을 때는 칼날 위에서도 잘 수 있었어. 하지
만 지금은 이처럼 화려한 음식과 값비싼 술이 초라하게만 느껴져."

둘은 생각했다. 돌이킬 수 없는 걸까. 다시 예전의 사랑으로 돌
아갈 순 없을까.


사랑이 강했을 때는 칼날 위에서도 잘 수 있었지만
사랑이 약해지니 그토록 넓은 침대도 비좁게만
느껴진다


탈무드가 말하는 《구약성서》의 가르침엔 다음과 같은 기록이
등장한다.

솔로몬 왕이 여호와를 위하여 건축한 성전은 길이가 60규빗이요,
너비가 20규빗이요, 높이가 30규빗이며

_〈열왕기상〉 6장 2절

여호와께서 이와 같이 말씀하시되, 하늘은 나의 보좌요 땅은 나의
발판이니, 너희가 나를 위하여 무슨 집을 지으랴?

_〈이사야〉 66장 1절

솔로몬이 예루살렘에 성전을 지을 때의 일이다.

'하나님이 머무시는 장소'의 규모는 당대에 상상할 수 있는 최
고 수준 이상으로 확장되었다. 성전 규모는 대략 길이 27미터, 폭
9미터, 높이 14미터였다. 하지만 그 직후, 성전은 철저히 파괴되었
고 황폐화되었다. 외적인 크기로 신을 향한 사랑을 재단했던 이스
라엘 민족의 교만이 그 원인이었다.

이 교훈은 이후 이사야 선지자 시대의 가르침으로 이어진다. 그
는 제아무리 거대한 성전도 신의 진실한 마음을 붙잡아둘 수 없다
는 점을 가르친다.

이야기에서도 언급한 것처럼 이는 각자의 성공을 위해 사랑을
잠시 놓아두었던 연인이 다시 바라본 사랑이 식은 공간, 사랑이 식
은 축복은 어색하고 어딘지 모르게 불편할 수밖에 없다는 의미와

도 통한다.

사랑에 빠진 연인에게는 한마디로 말해 가난이나 현실의 어려움은 아무런 문제가 되지 않는다. 아니, 좀 더 정확히 말하면 가난이라는 현실은 분명히 변하지 않았지만 사랑의 압도적 황홀감으로 그것을 완전히 망각한다는 사실이다.

사랑의 힘은 여기서부터 시작된다. 사랑의 힘이 너무 커서 가난이 보이지 않는다고 하면 사람들은 이를 한때의 낭만으로 취급하기 일쑤다. '그 사랑이 언젠가는 식어버릴 것이다' '그렇게 사랑이 식어버리면 가혹한 현실이 연인을 괴롭힐 것이다'라고 모두 입을 모아 말한다. 마치 예언자들처럼 말이다.

하지만 탈무드의 가르침은 정반대 상황을 이야기한다. 사랑이 식어버릴 거라고 예상하는 그 태도 자체를 버리라고 말이다. 비록 사랑하는 그 순간조차 유통기한이 있다 하더라도 그것을 인정하는 것은 시간 낭비에 불과하다. 오히려 그 사랑으로 지금 우리에게 주어진 가난이 다가 아님을 느낄 때, 사랑을 품은 그 넉넉한 마음으로 어려운 외부 환경과 상관없이 자신의 신념을 올곧게 추진해 나갈 수 있는 것이다.

## 사랑의 절정에 무엇이 있는가

사랑만이 우리의 인생을 절정의 아름다움으로 인도한다고 믿는다면, 그렇게 믿는다면 그것은 서툰 낭만일까. 아닐 것이다. 사랑의 아름다움을 붙잡고 긍정하자. 그 숭고한 사랑이 지금도 마음 깊이 흐르고 있다고 믿어보자.

수다쟁이
모범생

어느 탈무드 학교에 뛰어난 성적을 거둔 학생이 있었다. 그 학생은 모범생이었고 랍비들이 가르치는 모든 지식을 암기하고 흡수하는 데 탁월한 면모를 보였다. 그런데 이상하게도 그 학생에 대한 다른 학생들과 랍비들의 평판은 좋지 않았다. 뛰어난 성적을 부러워하지도 않았다. 이유는 사소해 보이는 부분에 있었다. 그 학생은 말이 너무 많았다. 다른 사람과 이야기할 때도 쉴 새 없이 혼자 떠들어댔다. 자신만 실컷 이야기할 뿐 상대가 말할 틈을 주지 않았다.

하루는 이 학생에게 학교를 대표하는 랍비가 와서 말을 걸었다. 가까스로 수다쟁이 학생의 말을 막은 뒤였다.

"우리 학교 학생들이 모두 너를 욕한다는 사실을 알고 있니?"

그 말을 들은 학생이 펄쩍 뛰며 그럴 리가 없다고 부정했다.

"그럴 리가 없어요! 내가 얼마나 율법을 잘 지키며 살고 있는데요."

그와 함께 학생은 증거가 없다면서 더욱 흥분했다.

"전 그런 소리를 한 번도 들어본 적이 없어요. 누군가 날 욕하는 소리를요."

그러자 랍비가 그럴 줄 알았다며 확실히 못을 박듯 말했다.

"당연히 들을 수 없었겠지. 너하고 대화를 하는 상대는 한 마디도 못했을 테니 말이야. 어떻게 욕할 틈이 있었겠는가. 그러니 자네가 그 욕을 들을 수 있었겠어? 안 그런가."


## 말이 많을수록 신뢰는 떨어진다

말이 많다는 건 단지 양적인 개념이 아니다. 경우와 필요에 따라 말은 줄어들 수도 많아질 수도 있다. 하지만 중요한 건 듣는 이를 배려하지 않는 말은 설령 그 말이 많지 않더라도 상대를 피곤하게 할 뿐이라는 사실이다. 심지어 상대를 배려하지 않은 채 본인의 말만 하게 되면 스스로 신뢰를 떨어뜨리는 결과를 초래한다.

대화는 상호 소통에서 시작된다. 말의 시작과 뿌리는 대화에 있다. 나 혼자 떠들고, 나 혼자 답을 찾는 말은 극단적으로 말하면 더는 말이 아니다. 그건 중얼거림에 지나지 않는다.

이렇듯 말은 대화를 통해 발전하는데, 말이 대화의 궤도 위로 올라서려면 먼저 고려되어야 할 것이 있다. 바로 듣는 훈련이다. 상대가 나와 대화를 하면서 무엇을 원하는지 파악하지 못한다면 그 대화는 헛된 중얼거림에 지나지 않게 된다. 어디 그뿐인가. 상대의 말을 듣지 않으려는 이의 말은 상대에게 공격적으로 비치고, 더는 말하는 당사자를 믿지 못하게 된다. 신뢰가 무너지는 것이다.

거듭 말하지만 이것은 양적으로 많고 적고의 문제가 아니다. 얼마나 충분히 상대를 배려하고 이해하는 대화를 하느냐에 있다.


## 나는 상대의 말을 잘 듣는 편인가

명심하자. 내 말을 하기 전에 먼저 상대의 말을 들어보는 것. 신뢰는 거기서부터 시작된다.

암송과
속뜻

어느 탈무드 학교에, 하루도 빼놓지 않고 토라를 읽고 그 가르침의 구절이 담긴 셰마*를 암송하는 한 학생이 있었다. 그는 읽고 또 읽으며 외우는 데 많은 시간을 보냈다. 그러자 그를 지켜본 다른 학생들의 불만이 쌓이기 시작했다.

"도대체 저렇게 토라만 읽는다고 무슨 변화가 있겠어?"

"그러게 말이야. 머릿속에 지식만 쌓을 게 아니라 직접 삶에서 실천해야지."

하지만 지도교사인 랍비의 생각은 달랐다. 그는 다음과 같이 말했다.

"그를 비난해선 안 됩니다. 만일 그가 토라를 읽고 셰마를 암송하는 데 진정성을 가지고 있다면, 그걸로 이미 충분하기 때문입니다."


## 의도를 찾는 훈련이 필요하다

이야기에 나오는 학생의 태도를 보며 우리는 깊이 생각해봐야 한다. 탈무드를 비롯해 단순히 인생의 격언이나 지혜가 담긴 구절들을 읽는 것만으로 충분할까. 아니면 그 구절들 속에 담긴 가르침에 따르는 책임을 다하고 실천하며 살아가는 것이 더 이치에 맞는 걸까. 보통의 상식이라면 후자에 무게중심을 둘 법하지만 탈무드의 가르침은 우리의 기대와 다르게 언제나 명확한 답을 내리길 망설인다.

탈무드를 풀이하는 랍비들은 상반된 결론을 제시하곤 한다. 위 이야기에 나온 지도교사 랍비는 학생이 나름 뜻한 바가 있어 하는 것이라면 그가 탈무드 읽기에 집중하는 것 자체를 비난해선 안 된다고 말한다. 하지만 모든 랍비가 그와 똑같은 의견을 지닌 건 아니다. 어떤 랍비는 탈무드의 가르침은 직접 삶에서 실천하고 적용해야만 비로소 진실한 가르침이라고 주장했다.

단순히 암송하는 기도나 지식은 그 속뜻을 모른 채 기계적으로 암기된다. 하지만 그렇다 하더라도 그 목적, 곧 기도하고 배우는 행위 안에 담긴 본래의 의도만큼은 가치 있는 것으로 남을 것이다. 그 소중함도 간과해선 안 된다.

일상생활이나 업무에서도 마찬가지다. 자세히 들여다보면, 흔히들 말하는 것처럼 생각 없이 하는 일이 너무나 많다. 자칫 그 일을 왜 하는지 본질은 잊은 채 얼마나 빨리, 얼마나 잘하는가로 만족하려고 할 때도 많다.

공부하는 학생의 경우도 마찬가지다. 단순 암기를 반복해서 쌓은 수학 능력이 우수생과 열등생을 구별하는 기준이 된다. 그러한 기준을 갖고 성적 경쟁을 독려하다 보니 학생들이 열중하는 학습 과제는 늘 일방적이기만 하다. 기계적으로 익히는 과정과 결과에만 매달리게 되는 것이다. 정작 내가 이 일을, 이 공부를 왜 해야 하는지 모른다. 진짜 원하는 바가 담긴 궁극적 의도는 망각한 채 말이다.

우리가 삶에서 해나가는 일의 분량은 상상을 초월한다. 그 많은 일마다 집중과 주의를 요구하는 건 무리일지도 모른다. 하지만 두려워하지 말고 수많은 일을 하나의 입체적 평면도라 생각해보면 어떨까. 그 생각의 바탕 위에서 내가 이 일을 하는 과정의 의미가 무엇인지, 그 의도가 무엇인지를 간파하는 훈련을 시작하자. 조금은 불편하고 어렵더라도 의미를 찾는 훈련을 오늘부터 시작해보자. 그럼 우리는 이를 통해 점점 더 성숙하고 숭고한 가치가 무엇인지 알게 될 것이다. 진정한 생산과 효율성이 어디부터 시작하는지를 분명히 깨닫게 될 것이다.

## '나'의 진심을 뛰게 하는 일이 무엇인가

자기 자신에게 필요한 실천 리스트를 작성해볼 것. 일상과 업무에서 아무런 생각 없이, 비전 없이 하는 일이 얼마나 많은지 냉정하고 객관적으로 점검해볼 것.

동시에 그와 반대로 지금 하는 일이나 공부 그리고 사람들과의 관계에서 얼마만큼 풍요로움을 느끼고, 생각하고, 판단하는지 헤아려볼 것. 충분치 못하다고 여긴다면 어떤 불필요한 것들이 내 일상을 채우고 있는지, 그것을 제거하는 데 어떤 방법이 있는지 헤아려보기. 이러한 과정이 '나'의 진심을 뛰게 하니까.

---

**셰마**는 '이스라엘아, 들어라!'라는 뜻이다. 〈신명기〉와 〈민수기〉에 나오는 성경 구절로 유대인들이 매일 아침저녁으로 예배 때에 암송하는 기도를 말한다. 이스라엘 사람들의 하나님에 대한 열렬한 믿음과 사랑을 표명하며, 유대교 신앙의 핵심을 이루고 있다.

성공과
불안

모든 걸 갖춘 '엄친아'가 있었다. 20대 후반의 젊은 나이에 이미 글로벌 기업의 핵심 전략 기획 요원으로 일하며 <타임지>와 같은 유력 매체에서 인터뷰를 요청할 만큼 성공한 인물이었다. 신체적인 조건도 아주 좋아 윈드서핑과 주짓수를 취미 이상의 수준으로 할 정도였다.

그처럼 강한 정신력과 육체에 어울리는 성공을 거둔 것처럼 보이는 그에겐 도무지 이해할 수 없는 증상이 하나 있었는데, 바로 불안장애였다.

그는 지금까지 자신이 일궈낸 것이 언제든 실패의 수렁으로 빠져들 것만 같은 두려움에 휩싸여 있었다. 스스로 그럴 필요 없다고 생각하고 마인드컨트롤을 했지만 그때뿐이었다. 혼을 빼놓을 정도로 강하게 자기 몸을 단련할 때엔 잠시 불안이 잊혔지만 그 역시 그때뿐이었다. 그 시간이 지나고 나면 언제 그랬냐는 듯 다시 불안에 사로잡혔다. 그는 겉으로 보이는 스펙과 외모, 강한 정신력까지 소유한 강철보다 강한 인간이었지만, 오히려 그 강해야 한다는 강박감이 불안을 낳아 세상 누구보다 더 강도 높은 불안장애에 시달려야 했다.

## 인간은 강철보다 강하고 파리보다 약하다

때론 태어날 때부터 부러울 정도로 강한 담력을 가진 이가 있다. 그런 사람이 좋은 환경에서 수준 높은 교육을 받아 평균 이상의 지성을 갖추고, 틈틈이 운동에 전념해 신체적으로도 누구에게 뒤지지 않는 건강한 육체를 가졌다면 어떨까. 우리는 그런 이들을 '엄친아' '엄친딸'이라 부르며 선망의 대상으로 바라볼 것이다. 그러면서 막연히 동경하거나 그와는 크게 차이 나는 나 자신의 환경을 탓하며 자학할지도 모른다. 하지만 인간은 위에서 언급한 '엄친아'의 모습처럼 늘 상대적이다.

오늘날 경쟁적으로 세워 올려지는 마천루를 보면 어떤 생각이 드는가? 또한 화성으로 우주여행을 떠날 정도로 과학기술이 발달하고, 노화의 원인을 표적 치료해 인류 나이를 200세 이상 연장하는 것이 가능하다고 말하는 걸 들으면 어떠한가? 인간의 힘이 강철보다 강하다는 사실을 알 수 있다.

그러나 이처럼 강철을 늘이고 녹이는 강한 인간도 하찮은 파리나 모기에 고통받는다. 때로는 이것들이 옮기는 전염병에 걸려 생명을 잃어버리는 일도 있다.

'인간은 강철보다 강하고 파리보다 약하다.' 이 흔하고 평범하지만 한 번 들으면 망각하기 어려운 격언은 유대인 자녀들에게 인간이란 전능에 가까운 힘과 능력을 보유했지만, 아주 작은 것에도 상처받고 아파하고 쉽게 벗어나지 못하는 존재라는 사실을 분명히 한다. 그럼으로써 인간이 자기 존재보다 약한 것에도 항상 두려움을 갖고 오만하지 않도록 경계하라는 교훈을 일깨워준다.

자신의 재능을 너무 믿고 의지하는 사람이나 자신이 쌓아 올린 돈과 명예의 힘에 크게 의지하는 사람들에게 위의 격언은 진중한 경고가 섞인 충고를 던진다. 재물을 모으고 명성을 얻으면 사람은 겸손함을 잃어버리고 오만해지기 쉽다. 우리 인간은 오늘날 우리 손으로 꽃 피운 문명으로 얼마나 성공적인 세계를 구축해왔는가? 그러나 한편으로는 얼마나 작은 것에도 무기력한 모습을 보이는가? 모름지기 인간은 성공할수록 더욱 겸허한 자세로 나 자신을 돌아봐야 한다.


## 나는 '나'를 인정하는가

사람들이 보는 시각이든, 스스로 그렇게 생각하든 '나' 자신의 약한 모습을 솔직히 인정하자. 그리고 그렇게 인정한 나의 '솔직함'을 나의 진짜 '강점'으로 여기자.

# 4장

•

# 목요일

좋아하는 사람에겐 단점이 눈멀고
싫어하는 사람에겐 장점이 눈먼다

사소한
뇌물

어느 탈무드 학교에서 선생 한 명이 퇴교 처분을 받게 되었다. 이유는 학부모한테서 작은 선물을 받았는데, 그게 발각되어 뇌물로 인정된 것이다. 퇴교 처분을 앞둔 선생은 징계위원회 자리에서 자신의 억울함을 강하게 호소했다.

"그 선물은 정말 사소한 것이었습니다. 마음의 성의 같은 거였다고요. 그 선물을 받았다고 해서 제가 그 학생만 편애했다는 주장은 말도 안 됩니다. 증거도 없습니다. 퇴교 처분은 지나치게 가혹하다고 생각합니다. 다시 생각해주세요."

하지만 안타깝게도 그 선생의 항변은 인정되지 않았다. 징계위

원회는 만장일치 결정으로 선생의 퇴교를 정당하다고 판단했다.

교장 선생은 이에 대해 다음과 같이 이유를 밝혔다.

"판사가 선물을 받는 것을 엄격히 금지하는 이유는 무엇일까요. 일단 판사가 재판의 이해 관계인이 되는 누군가에게 선물을 받게 되면, 판사의 마음은 선물을 준 이에게 더 가까워지고, 결국 재판에 끔찍한 영향을 미치고 말 것입니다."

선생은 판사의 예를 든 교장 선생의 말에 아직은 절반밖에 동의할 수 없었다. 그때 교장 선생이 덧붙여 말했다.

"이는 비단 법원에만 해당되는 말이 아닙니다. 학교, 직장, 종교 단체, 그 어디에도 동일하게 적용됩니다. 묻겠습니다. 선물이란 무엇인가요? 선물, 곧 마타트는 아무 대가 없이 주고받는다는 뜻입니다."

그는 계속 말했다.

"선물은 아무런 이해관계가 없을 때야 비로소 선물입니다. 왜냐하면 우리는 사랑하는 사람의 결점을 보지 못하고, 싫어하는 사람의 장점을 보지 못하기 때문입니다."

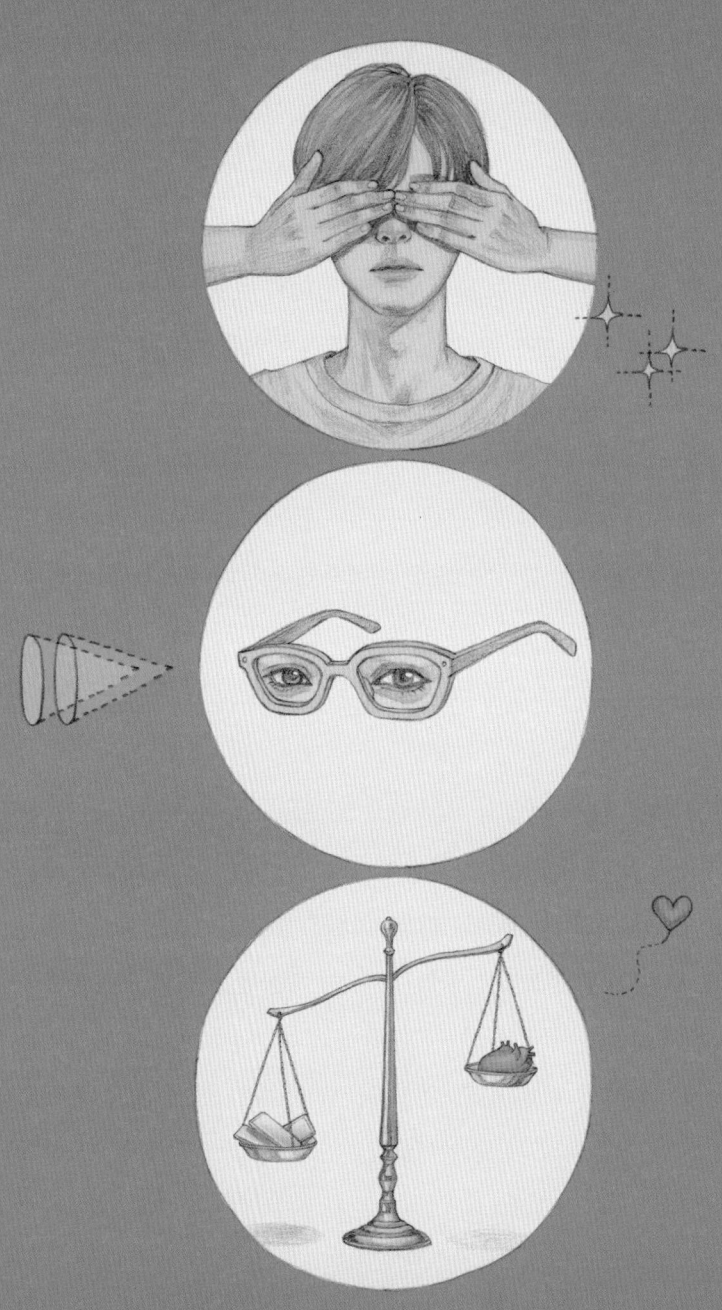

# 좋아하는 사람에겐 단점이 눈멀고
# 싫어하는 사람에겐 장점이 눈먼다

'진실은 언제나 이성적일까' 하는 물음이 떠오를 때가 있다. 어찌 보면 타당한 것처럼 보인다. 하지만 정확히 말하면 진실은 이성과 감정의 통합일 때가 훨씬 더 많다. 이때 통합된 감정은 '승화된 감정'이라고 말하는 게 적절할 듯싶다.

우리는 어떤 사람이 나와 친밀하면 기본적으로 그를 감싸줘야 한다는 호의와 배려를 갖고 대한다. 반대로 나와 원수가 된 사이거나 껄끄러운 사이라면 어떨까. 경계하고 배제하려는 마음이 먼저 든다. 이럴 때 가장 치명적인 오류가 발생한다. 바로 어떤 일이 발생했을 때, 사건의 실체를 들여다보려고 하기보다는 친밀하거나 껄끄러운 관계에서 오는 감정적 기준에서 출발하게 되는 것이다. 바로 편견이라는 색안경을 끼고 상황을 들여다보게 된다.

하지만 결론부터 말하면 그렇게 진실이 왜곡되면 그토록 믿고 싶었던, 언제라도 함께하고 싶었던 사람과는 결국 멀어지게 될 뿐이다. 더 나아가 껄끄러운 사이가 되는 것은 물론 관계는 악화일로惡化一路로 치닫게 된다.

그렇기 때문에 편견을 내려놓고 사건의 실체를 볼 수 있도록 노력하는 게 중요하다. 비록 친밀하고 가까운 상대에게 일시적인 상처를 줄 수 있다 하더라도 말이다. 상대의 감정을 생각해서 진실을 말하지 않는다면 반드시 나중에 더 안 좋은 상황이 기다리고 있음을 잊지 말아야 한다.


## 나는 사람을 있는 그대로 바라보고 있는가

선물을 주고받는 호의가 없더라도 내가 관계 맺고 있는 사람들을 있는 그대로 바라보는 훈련을 해보자. 그러면 그 상대뿐만 아니라 나 자신도 투명하게 바라볼 수 있게 된다.

친구가
내민
차용증서

명문대를 졸업한 한 남자가 있었다. 그는 제법 유명한 법조인이었다. 법을 잘 아는 그에겐 늘 '도덕적인 사람'이라는 신뢰가 수식어처럼 따라붙었다. 그리고 그 역시 그것을 당연하게 받아들였다.

그 완벽한 도덕성을 갖춘 법조인 남자가 불의의 사고를 당해 돈이 급하게 필요하게 되었다. 그래서 그는 한 친구를 찾았다. 오랫동안 알고 지낸 막역한 사이였다.

남자는 친구에게 자신이 처한 상황을 구구절절 이야기했다. 절박했으며, 충분히 그럴 만한 사정이 있는 이야기였다. 친구는 법조인인 남자의 말을 끝까지 경청했다. 고개를 끄덕이거나 남자의 말을 듣는 사이사이 탄식도 하며 공감해주었다. 그렇게 남자는 부끄럽지만 막역한 사이라는 믿음을 갖고 친구에게 자신의 사정을 법조인답게 일목요연하게 털어놓았다. 그리고 돈을 빌려달라고 어렵게 부탁했다. 이야기를 다 들은 친구가 다음과 같이 말했다. 미리 준비해둔 한 장의 서류를 내밀며.

"차용증서야. 여기 빌리는 돈의 액수, 상환 날짜, 날짜를 어겼을 경우의 조치 등을 적고 서명하게."

친구가 내민 서류는 공증을 마친 차용증서였다. 그걸 본 남자가 분통을 터트렸다.

"이것 봐! 내가 지금 부끄러움을 무릅쓰고 이렇게 사정 얘길 하지 않았나? 그건 자네가 단순히 은행이 아니라 친구라서 그런 거야. 친구라서! 그런데 날 믿지 못한단 말인가. 난 말이야, 오랫동안 법을 연구한 사람이야. 법을 누구보다 생명처럼 여기고 지켜온 사람이란 말이야."

하지만 남자는 친구의 불만을 받아주지 않았다. 오히려 더 강한 어조로 못 박듯 말했다.

"오히려 그 점이 염려되는 거야. 자넨 책 속에 있는 법을 지키는 데만 몰두하지 않았는가. 돈을 빌리고 갚는 건 전혀 다른 문제라는 걸 모를 것 같아서 차용증서를 받아두는 걸세. 내 말, 이해할 수 있겠나?"

# 법은 최소한의 기준이다

법적으로 문제를 해결하는 건 가장 기초적이며 초보적인 방법이란 걸 우리는 반드시 알아야 한다. 법의 본질은 역설적으로 '나'와 '타인', 더 나아가 '우리'라는 공동체로 상징되는 사회 구성원들이 스스로 문제 해결의 의지와 능력을 충분히 갖추고 있음을 입증하는 도구라는 사실을 알려주는 데 있다. 왜냐하면, 법은 이 복잡미묘한 인간의 삶을 가장 기초적이고 상식적인 기준으로 공식화한 조문彫文일 뿐이기 때문이다.

법을 많이 안다고 해서, 그 지식으로 많은 사람들을 다스리고 지배하는 직위에 있다고 해서, 그 사람이 반드시 인간을 깊이 이해한다고 말할 수 없는 이유가 바로 여기에 있다. 인간의 삶이나 공동체에서의 갈등은 결코 그 과정을 직접 경험해보지 않으면 알 수 없다. 깨알같이 쓰인 법조문의 글씨를 앵무새처럼 외우고 그 규칙을 사람들에게 가르칠 순 있어도 직접 갈등의 중심에 들어가 문제 해결을 위해 애쓰는 것은 전혀 다른 차원이기 때문이다.

이는 삶을 대하는 우리의 태도와 자세에도 그대로 적용된다. 자신이 배운 지식이나 오른 지위가 '나'를 대변하고 보증해준다는 기대를 버려야 한다. 설령 당신을 피상적으로만 알고 있는 사람들이 당신을 그렇게 판단한다고 해도 결코 그 시선에 도취되지 마라. 우리가 배운 지식은 우리가 직접 살아가는 삶에서 실전을 위한 시작점에 불과하다는 걸 잊어서는 안 된다.


## 나는 배운 지식을 삶에서 활용하고 있는가

내가 얻은 학위, 자격증, 지식, 기술……. 이런 모든 것을 내 삶에 진짜 유익이 되도록 활용하는 시간을 가져보자. 처음엔 서툴지만 결국에는 진짜 내 것이 되어 돌아올 것이다.

노인과
나무

어느 나이 많은 랍비가 있었다. 그는 스스로도 자신이 늙었다는 걸 인지하고 있었다. 그는 나름 치열하게 인생을 살았고 그만큼 사람들의 인정도 받았다. 모두 그를 바라보며 공통된 말을 했다.

"랍비여, 당신은 정말 할 만큼 했습니다."

그런데 그 늙은 랍비는 정원에 나무 하나를 심기 시작했다. 아주 어린 묘목이었다. 제자들은 랍비의 모습을 보고 의아해했다. 랍비는 임종을 앞두고 있었고, 그가 지금까지 일궈낸 위대한 업적을 봤을 때, 지금 이러한 행동은 전혀 이해되지 않았다.

망설이던 제자 가운데 한 명이 용기를 내어 어린 묘목을 심고 있는 랍비에게 물었다.

"스승이시여, 지금 심는 묘목이 열매를 맺으려면 얼마나 걸리겠습니까?"

"글쎄요. 정확히는 모르지만 한 50~60년은 걸리지 않을까요?"

"정말 송구하지만 스승이시여, 지금 그 나무를 심는다 한들 무슨 소용이 있을까요? 차라리 그 시간에 당신의 놀라운 지혜와 경륜이 담긴 가르침을 제자들에게 남기시는 게 더 효과적이지 않겠습니까?"

하지만 제자의 질문에도 랍비는 묘목 심는 일을 멈추지 않았다. 제자들이 더 채근해도 랍비는 하던 일을 계속했다. 마침내 답변을 했지만 그조차 일을 하던 중에 꺼낸 말이었다.

"지금 우리가 따서 먹게 된 열매도 우리 선조들이 70여 년 전에 심었던 나무에서 열린 겁니다. 마찬가지로 내가 배우고 체득한 지혜 역시 몇백 년, 몇천 년 전부터 선조들이 토론하고 익혀온 배움이죠. 지금 내가 이걸 심지 않으면 미래도 없단 말입니다."


## 속도의 중심을 놓지 않는 것이 중요하다

아날로그 문명에서 디지털 문명으로, 이른바 패러다임 전환과 함께 찾아온 가장 혁신적인 사회 변화의 키워드를 꼽으라면 단연 '속도'일 것이다. 입력과 출력, 시작과 결과가 찰나의 순간에 주어질 만큼 우리 시대는 빛의 속도와 같이 업무 처리가 빨라졌다. 그만큼 추진했던 일에 대한 성공과 실패의 결과 역시 빨리 나타나게 되었다.

돈을 버는 속도 또한 빨라졌다. 디지털 문명의 도입과 이와 관련된 비즈니스 모델은 사업에 참여한 구성원들이 돈을 벌어들이는 속도는 물론 그 규모를 광폭의 수준으로 향상시켰다. 지식의 습득 또한 이러한 속도의 물결에 합류했다면 지나친 비약일까. 사실이 또한 마찬가지일 것이다.

하지만 탈무드에선 한 가지 확실한 사실을 말한다. 아무리 빠르게 변하는 세상이더라도 변하지 않는 불변의 가치를 잊지 말라는 것이다. 지금 당장 효과가 나타나지 않거나 성공을 확신할 수 없다고 해서 아예 관심을 두지 않는 태도야말로 중심을 놓친 사유 방식임을 잊지 말아야 한다. 속도가 빨라졌다고 해서, 일의 성공 여부가 이전보다 빠르게 판명된다고 해서, 자신의 능력과 재능 역시 속도의 흐름에 좌우되는 건 아니기 때문이다.

내가 잘할 수 있는 것, 내가 재밌게 해낼 수 있는 것을 계속 생각하고 시도해봐야 한다. 비록 그것이 눈앞에 바로 성과물을 내놓지 않아 남들에게 뒤처질 것만 같은 불안을 느끼게 하더라도 말이다.

우리는 그저 그러한 느낌을 비워내도록 노력하며 다시금 끊임없이 시도해야 한다. 지금 당장 눈에 보이지 않는다고 해서 당신이 존중하는 사유 방식과 그것을 삶에서 시도하고 실천하는 의미까지 사라지는 게 아니란 사실을 알아야 한다.


## 변하지 않는 가치를 바라보자

변하지 않는 것, 변하지 않는 가치를 찾는 일은 매력 없는 일이 결코 아니다. 오히려 그만큼 더 귀하다는 뜻이다.

전염병

갑자기 생겨난 질병, 특히 치료제를 구할 수 없는 전염병이 창궐하
게 된 도시가 있었다. 끔찍한 일이었다. 시장은 속수무책으로 번지
는 치사율 높은 이 미지의 질병 앞에서 전혀 행정력을 발휘하지 못
했고, 그로 인해 도시는 아비규환阿鼻叫喚으로 변했다. 다른 도시와
국가는 이 도시에서 비롯된 저주를 용납하지 못하고 봉쇄 조치를
감행했다.

그 도시에는 많은 이들에게 존경을 받는 두 명의 성직자가 있
었다. 둘 모두 탁월한 인품과 뛰어난 도덕적 판단력으로 사람들의
문제를 해결해주는 시대의 현인이었다. 사람들은 이들에게 답을

듣기 원했다. 뭐라도 붙잡고 싶었다. 이 불확실성만 해결되어도 큰 위로를 받을 수 있을 것 같았다.

한 명의 성직자는 느닷없는 재앙을 맞이한 도시 사람들이 마음속으로 듣고 싶었던 말을 해주었다.

"악마가 이 도시에 질병 바이러스를 퍼트린 게 틀림없습니다. 평소에 신을 제대로 믿는 이들은 이 질병을 피해갈 수 있을 겁니다. 하지만 전염병이라는 악마를 피하지 못한 신자가 있다면 그는 잠시 신에 대한 믿음이 흔들려 벌을 받는 것이거나, 아니면…… 이 전염병의 고통을 통해 깨달음을 주고자 하는 신의 뜻이 있는 것입니다."

하지만 또 다른 성직자는 정반대의 말을 들려주었다.

"이 전염병은 선인과 악인을 결코 구별하지 않습니다. 이는 자연에서 비롯된 것입니다. 자연의 재앙 앞에서 우리가 해야 하는 건 마음의 헛된 위로나 재앙에 대한 자기합리화식의 해석이 아닙니다. 전염병을 막을 수 있는 최선의 방법이 무엇인지 함께 고민하고 모두가 실천에 옮기는 것뿐입니다. 거기에 만약 우리가 모두 반성하고 생각해야 할 부분이 있다면 우리가 자연의 원리에 거스른 생활을 하고 있지는 않은지, 자연의 원리에서 무심결에 놓치고 지난 부분이 있는 건 아닌지에 대한 성찰뿐입니다. 그 외에 다른 위로나 해석은 없습니다. 반드시 없어야만 합니다."

# 재앙은 선인과 악인을 구분하지 않는다

　자연이 과연 우리에게 낭만적인 면모만을 보여준다고 생각하는가. 그렇지 않다. 자연은 때론 끔찍이도 아름답지만 때론 잔혹할 정도로 무심하다. 거기엔 어떤 인간적인 고려라고는 도무지 찾아볼 수 없다. 갑작스럽게 폭발하는 화산, 삶의 기반이 송두리째 흔들리는 지진, 쓰나미, 폭우, 이상 고온으로 인한 열사까지. 이때 자연은 우리 사회의 선과 악에 대한 최소한의 고려도 하지 않는다. 무차별적으로 무정한 재해의 고통을 선사하는 것이 자연이 가진 냉혹함이다.

　하지만 좀 더 깊이 들어가 보면 이 시대에 우리가 겪는 재앙이 자연의 잔인한 재해만 있는 건 아니다. 전쟁을 예로 들어보자. 전쟁은 더 끔찍하다. 제아무리 전쟁이 고상하고 정의로운 명분에 기반했다 하더라도 말이다. 전쟁은 오직 하나의 목표물만 설정한다. 그리고 조그마한 실수도 허용하지 않는다고 말하며 악을 뿌리째 뽑을 수 있다고 자신한다. 하지만 완벽하게 구축된 기계적인 전쟁 시뮬레이션은 현실을 존중하지 못한다. 전쟁의 광기는 군인과 민간인, 선인과 악인을 구별하지 않는다. 그렇기에 우리는 분명히 인정해야 한다. 우리 스스로가 누군가에게 우리를 심판하고 파괴할 수 있는 권한을 부여했다는 사실을. 그리고 그것이 얼마나 많은 참사를 낳고 있는지를. 그 사실에 대한 솔직한 인정이 새로운 시작을 준비할 수 있게 한다.


## 지금 할 수 있는 것을 하라

우리 사회를 지배하고 있는 재앙적인 상황을 예측해보자. 이러한 재앙을 극복하기 위해 내가 할 수 있는 최선은 무엇일지를 생각해보자. 지금, 내가 할 수 있는 것을 하자.

한 번
내뱉은
말

법원에 가는 일이 자주 있어선 안 될 것이다. 그런데도 우리 삶에서 법원의 판단이 꼭 필요할 때가 종종 발생한다. 이 경우 사건의 진실을 밝히는 데 증인들의 서명이나 증언이 증거 채택에서 가장 중요한 핵심 요소가 되는 건 명백한 사실이다. 그렇지만 그 서명이나 증언이 유효하려면 투명한 절차를 거쳐야만 한다. 만약 어떤 증인이 자신이 한 증언과 서명에 대해 다음과 같이 말한다면 어떨까.

"이 증언과 서명은 내가 직접 증언하고 서명한 게 맞긴 맞습니다. 하지만 결정적으로 밝힐 게 있습니다. 나는 그 증언과 서명을 강요받았습니다."

이때 그와 관련된 서명은 효력을 상실한다. 하지만 만일 그 서명이 그의 필체가 확실하며 증언 역시 그의 의지로 한 게 맞다고 주장하는 다른 증인이 나오거나 강요받은 게 아니란 정황이 두 군데 이상 확인되면, 그가 강요받았다는 진술은 오히려 신뢰를 잃게 된다. 여러분은 누구의 손을 들어주겠는가.

탈무드의 랍비는 두 경우 모두 힘을 부여한다.

만약에 그 증언과 서명이 목숨의 위협 때문에 강요받은 거라고 말한다면, 일단 그의 말을 사실로 지지해야 한다고 주장하는 쪽과 더는 지지할 수 없다는 반대 의견 모두에 귀를 기울여야 한다고 말이다. 하지만 어떤 경우든 한 가지 확실한 결과는 있다.

"일단 한번 증언했다면, 그리고 서명했다면 그것을 돌이킬 수는 없습니다! 그 점만큼은 명심하세요."


## 치명적 실수를 조심하라

우리는 살아가면서 많은 실수를 한다. 그중 가장 불씨가 되는 문제 가운데 하나가 말실수다. 그래서일까. 우리는 서로 주고받은 말실수에 대해서는 비교적 관대한 편이다. 실수도 빠르고 사과도 빠르고, 그 사과를 받아들이는 속도 또한 빠른 편이다. 하지만 그렇게 일어나는 말실수의 영역에서 절대 되돌릴 수 없는 실수도 존재한다. 때와 격, 그 말을 한 장소에 따라 어떤 말실수는 돌이킬 수 없는 것이 된다. 또한 사소한, 이를테면 평소와 같은 수준의 말실수라고 생각했던 것이 일파만파로 번져 돌이킬 수 없는 치명적 실수로 나타난 경우도 분명 있다. 우리는 그 사소한 실수가 크게 비화되는 것에 억울해하거나 아쉬워해서는 안 된다. 그것은 평소에 쌓이고 쌓여 퇴적된 말실수가 분명 어떤 식으로든 파열된 필연적 결과이기 때문이다.


## 오늘 내가 한 말을 떠올려보자

정말 쓸데없는 말은 아니었던가. 타인을 아프게 하는 말은 아니었던가. 만약 그렇다면 많은 자책과 후회의 눈물을 흘릴지도 모를 것이다.

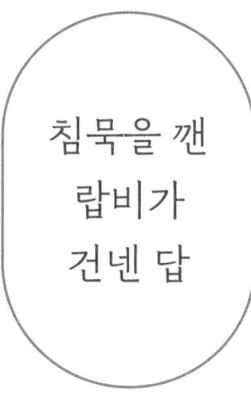

침묵을 깬
랍비가
건넨 답

몹시 깊은 질병에 걸린 랍비가 있었다. 그의 겉모습은 분명 그랬
다. 그의 눈은 실명 직전이었고, 두 팔과 다리는 마비되었으며 온
몸엔 알 수 없는 종기가 돋아 있었다. 그 랍비는 탈무드 학교에서
도 저명한 인물이었다. 지혜의 깊이와 폭이 상상을 초월했다. 세계
질서를 논할 줄 알았고, 한 사람의 인생을 요리하는 건 일도 아닐
정도로 압도적 지혜를 지닌 인물이었다. 적어도 그를 알고 있는 사
람들의 평가는 그랬다.

한 제자 역시 다른 이들과 마찬가지로 그 랍비를 무척 존경하고
흠모했다. 하지만 그 제자는 랍비에 대해 큰 의문이 들었다. 자신

의 배움 전체를 의심할 만큼 큰 의문이었다. 끝내 제자는 그 큰 의문을 참지 못하고 랍비를 찾아가 물었다. 어쩌면 큰 산과도 같은 스승에겐 심각한 결례가 될 수 있는 물음이었다.

"랍비여, 당신처럼 지혜가 신의 경지에 오른 분이 이런 육체의 고통을 당하는 이유를 저는 정말 모르겠습니다. 당신 같은 분이라면 미리 알고 대비할 수 있지 않았을까요?"

제자의 질문에 랍비가 한참을 침묵했다. 제자는 자신이 무례를 범했다고 여겨 곧 사과하려고 했다. 하지만 잠시 후, 침묵을 깬 랍비는 전혀 의외의 답을 내놓았다.

"모두 내 탓이야. 내 지혜의 부족 탓이란 말이지."

"그게 무슨 말씀이세요? 모두가 당신을 존경하고 있습니다."

"예전에 나는 산해진미를 가득 쌓은 짐을 실은 당나귀와 함께 길을 가고 있었어. 그때, 비렁뱅이 한 명이 내게 구걸했지. 하지만 난 말했어. 당나귀에서 물건을 내릴 때까지 기다리라고. 그게 당연한 순서라고 생각했던 거야."

"그게 뭐가 잘못되었단 말입니까?"

"잘못되었지. 내가 당연한 순서라고 여기며 행동하던 그 사이, 비렁뱅이는 죽고 말았거든. 이처럼 깊은 질병이 찾아오는 징후가 나타났을 때, 난 그 즉시 행동해야 했던 거야. 눈이 아팠을 때는 그것에만 집중하다가 두 팔과 두 다리가 마비되었고, 마비된 팔다리를 고치려고 매달렸을 땐 종기가 돋아 오르고 있었던 거야."


## 언제나 먼저 앞서는 게 있다

모든 것이 톱니바퀴처럼 맞물려 돌아가는 현대사회에서는 실수를 줄이는 선택이야말로 성공의 지름길이라고 생각한다. 한두 번의 실수로 업무나 목표에서 혹은 자신이 맺어오던 관계에서 내리막길을 걷는다고 생각하면 매 순간의 선택에서 늘 조심하는 게 상책일지도 모른다. 확실하고 예측 가능한 선택, 즉 실패 확률을 최소화하는 선택만이 최선인 것처럼 말이다.

이럴 때 어쩔 수 없이 뒤따르는 태도가 있다. 바로 망설임이다. 실수를 줄이기 위해, 무한경쟁 사회에서 상대에게 틈을 보이지 않기 위해 몸부림치는 과정에서 우린 최선의 효과만을 기대하는 나 자신, 그리고 사회의 요구를 만족시키기 위해 최대한 더 망설일 것이다. 그 망설임은 점점 우리 삶의 일부가 될 것이며, 그로 인해 우리 삶의 방식은 더 기계적이 될 것이다.

물론 실수를 줄이기 위해 노력하고 살피는 일은 격려되어야 마땅하다. 하지만 그사이, 망설이며 나 자신만을 살피는 사이에 말이다. 순간순간 당신 주변에서 도움의 손길을 내미는 이들을 바라보지 않는다면 과연 이 사회는 어떻게 될까. 나의 성취에 도움이 되지 않는다고 판단되는 이웃, 사회, 공동체의 아파하는 징후를 외면한다면 어떤 결과로 나타날까. 결국 그 망설임의 패착이 자신의 삶을 어둡게 만들 것이다.

## 망설이다가 고통을 겪은 적이 있는가

언제나 사람들이 말하는 예측 가능하고 안정된 일을 한다는 건 실패 확률을 줄이는 게 아니라 더 의미 있는 일에 대한 도전을 위축시킨다는 것을 기억하자.

강철과
종이

오래전 탈무드 학교에 다니던 두 학생이 있었다. 한 학생은 숱한 실패를 겪으며 인간의 무력감을 느끼던 중이었다. 다른 학생은 하는 일마다 성공을 거두며 인간의 뛰어남을 긍정하는 편이었다. 랍비는 졸업을 앞둔 두 학생에게 다음과 같은 말을 남겨주었다.

"살아가면서 인간은 수많은 모습을 갖고 살아가지. 다정한 아버지와 어머니의 얼굴, 한없이 안기고 싶은 인자한 선생님이나 스승의 모습, 마음 터놓고 편하게 이야기를 나눌 친구의 모습까지. 인간은 자신과 관계 맺는 이들에게 기대가 있기 마련이란다. 그 기대는 결국 인간 자체에 대한 절대적 기준이라기보다는 상황에 따라 다르게 다가온단다."

스승인 랍비의 말을 듣던 제자들은 듣는 둥 마는 둥 했다. 탈무드의 가르침 중에 자주 인용되는 격언이 있는데, 그것이 때론 너무나 흔해서 대수롭지 않게 여겨지기 때문이다.

"인간은 강철보다 강하고 종이 한 장보다 약한 존재야."

하지만 스승 랍비는 이 평범한 사실을 두 제자에게 꼭 마음에 새기고 언제나 기억해야 한다고 강조하고 또 강조했다.

그 격언, 어쩌면 평범해 보이는 가르침 안에 우리가 타인에게 거는 기대와 바람에 관한 더없이 중요한 지혜가 담겨 있기 때문이다.


## 지극히 약하거나, 지극히 강하거나

인간은 한마디로 말해 위대하다. 천재지변이 있어도, 수많은 전쟁을 겪어도, 아무리 힘든 일이 있어도 인간은 그 모든 역경을 딛고 일어선다. 우리 주변의 놀라운 사람들을 지켜봐도 그렇다. 2020년을 강타한 코로나19 사태란 팬데믹pandemic에서도 인간은 위대한 모습을 보여주었다. 일반적으로 백신을 개발하려면 적어도 5년에서 10년이 걸린다는 절망적인 소식에도 지구촌에서 살아가는 우리는 포기하지 않고 백신 개발에 집중했다. 그리고 놀랍게도

1년 만에 백신을 상용화했고 일반 사람들한테 접종까지 하게 되었다. 분명 좌절하고 무너질 수 있는 상황이었지만 인간이 포기하지 않았기에 가능한 일이었다.

그런데 탈무드에서는 그러한 인간의 위대함이 인간의 가장 약한 모습에서 비롯되었다고 말한다. 놀라운 기술 진보를 거듭하고 대단한 업적을 쌓아 올리는 인간이지만 인간은 언제나 자신의 나약함을 호소하며 아파한다. 때론 어떻게 이럴 수 있을까 싶을 정도로 인간은 쉽게 상처받고 약해빠진 모습을 보인다. 탈무드에서는 인간이야말로 이 약한 모습을 거울로 갖고 있기에 강철같이 단단해질 수 있다고 얘기한다.


## '나'를 바라보기

우리는 언제나 약하지도, 언제나 강하지도 않다. 약하거나 강한 모습의 '나'를 인정하자. 약한 것과 강한 것, 둘 사이의 힘의 균형을 조율하고 조화롭게 지탱하는 자신만의 방법을 익혀나가자.

5장

•

# 금요일

공감의 깊이

두 개의
머리를 가진
사람

두 개의 머리를 가지고 태어난 인간이 있다. 랍비가 묻는다. 이 인간을 한 명의 사람으로 보아야 하는가. 아님, 두 명의 사람으로 봐야 하는가.

랍비들의 의견은 나뉜다. 그런데 놀랍게도 결론은 동일하다. 이를테면 이런 것이다.

"한쪽 머리에 뜨거운 물을 부어보라. 만약 다른 쪽 머리도 함께 뜨거움을 느끼고 고통을 느끼거나 비명을 지른다면 이 인간은 분명 한 사람일 수밖에 없다. 하지만 만약 다른 쪽 머리가 내내 무표정하고 무정하게 고통스러워하는 머리를 바라본다면 그건 두 사람으로 보아야 한다."

거기에 랍비들은 하나의 견해를 덧붙인다. 그 역시 공통된 결론이다.

"두 사람으로 볼 경우 우리는 여기에서 한 가지 핵심 단어를 빼야 할 것이다. 그것은 '사람'이란 단어다. 고통을 함께 느끼지 못하는 두 개의 머리를 가진 인간은 '사람'이 아닌 것이다."


## 공감은 나를 살리는 힘이다

이것이 탈무드의 가르침이라면 믿을 수 있겠는가. 어떻게 보면 기이하고 끔찍할 수 있지만 그것은 현실에서 일어난 사건이었다. 그리고 탈무드가 우리에게 말하고 싶은 핵심이 바로 여기에 있다. 우리가 사는 현실에서는 비상식적인 일이 상식적이거나 예측 가능한 일보다 훨씬 더 많이 일어날 수 있음을 전제해야 한다고 말이다.

극단적인 사례일 수도 있지만 오늘날 우리 사회에서 소시오패스 sociopath, 반사회적 인격장애자인 사람들이 점점 많아져 사회 곳곳에서 상상조차 못했던 다양한 문제를 일으키고 있다.

타인의 아픔과 고통에 무감각해지는 게 일상이 되어버린 탓일까. 오히려 타인의 삶에 쓸데없이 개입했다가 피해를 보게 되는 이들은 분초가 다르게 급변하는 현대사회의 트렌드와 먼 사람이라는 평판만 얻게 되는 게 오늘의 현실이다. 그러다 보니 가슴 아프게도 오늘을 사는 우리는 스스로 소시오패스가 되는 훈련을 자청하는 게 아닌가 싶다. 상대를, 함께 살아가는 공동체의 구성원으로 생각하지 않고 내가 승리하기 위해 반드시 짓밟아야만 하는 경쟁 상대로 보는 건 아닌지? 나아가서 자신의 성공을 위해 관리해야 하는 인맥의 대상쯤으로 여기는 모습이 오늘을 사는 우리의 자화상은 아닌지 염려된다.

시대가 변하고 사회 체제가 변한 건 사실이다. 부정하지 않겠다. 하지만 이 급변하는 풍토 속에서 오히려 우리는 역설적인 선택을 해야만 한다. 공감 능력을 키우는 것. 내가 힘들고 아픈 만큼 내 주위에 있는 사람, 나와 가까이 있는 사람, 더 나아가 나와 함께 하나의 공동체를 꾸리고 살아가는 이들도 힘들고 아플 거란 공감, 그 공감의 연대가 우리를 살릴 것이다.

이는 결코 상투적인 주문이 아니다. 나만 힘들고 아프지 않기 위해 노력한다면 누군가는 내가 겪어야 할 아픔까지 곱절로 아파해야 할 것이다. 그렇게 되면 안타깝게도 또 누군가가 아프지 않기 위해 발버둥 쳤던 이기적 행위가 어느 순간 나 자신에게 곱절의 아픔으로 돌아올지 모른다. 명심하자. 공감 능력을 잃지 않는 건 오히려 나를 지키기 위한 가장 이기적인, 하지만 그만큼 우리 모두를 돌아볼 수 있는 기회라는 걸.


## 진심으로 타인을 위해 기뻐한 적이 있는가

타인의 아픔과 기쁨에 함께하는 건 결코 헛되거나 비효율적이지 않다. 공감은 궁극적으로 나를 살리는 힘이다.

금지된
행동

어느 탈무드 학교에 나이 지긋한 랍비가 한 명 있었다. 그는 지금까지 자신이 쌓아 올린 명예와 지금까지 배운 것을 토대로 진심을 다해 다음과 같이 말했다.

"우리는 스승 랍비들의 가르침을 귀하게 여겨야 합니다. 특별히 사람들 앞이라고 금지되어야 할 예법이 있다면, 그 예법은 사람들이 없는 곳에서도 동일하게 금지되어야 한다는 가르침을 잊어선 안 됩니다."

이에 대해 반대 의견을 내어놓은 랍비도 있었다.

"예법이나 규칙 같은 건 그 사람이 현재 맺고 있는 관계에서만 유효합니다. 단지 사람들 앞에서만 금지된 규칙이라면 사람이 없을 경우 그 규칙을 적용할 필요가 굳이 없는 겁니다."


## 사람들 앞에서 금지된 것은
## 아무도 없는 곳에서도 동일하게 금지된다

의견 차이가 선명히 나뉘는 순간이다. 우리는 다음의 규칙 가운데 어느 하나를 선택할지 진지하게 고민해봐야 한다. 그게 지혜를 배우는 자세다.

첫째, 금지된 행동을 실제로는 허용할 수도 있다. 그렇다면 그 행동을 지켜본 누군가도 따라할 수도 있는데, 굳이 규칙으로 적용할 필요가 있을까 하는 입장이다.

둘째, 금지된 행동을 하는 사람은 실제로는 누군가에게 피해를 주지 않았다고 해도 명백히 규칙을 어긴 것과 동일하다. 그러므로 규칙을 적용해야 한다는 입장이다. 혹여라도 잘못된 결론에 이르는 것을 미연에 막기 위해서다.

랍비들은 실제로는 허용되었을 행동이라도 율법이나 규칙으로 세우고 금지하는 데 주저함이 없었다. 보이는 것 역시 중요하기 때문이다. 보이는 것조차 규칙을 망각하거나 소홀한 사람이 어떻게 마음으로부터 철저하고 세심하게 규칙을 지킨다고 말할 수 있겠는가.

대부분 사람들은 이렇게 생각한다.

'왜 내가 다른 사람 눈치를 보며 살아야 하지?'

'다른 사람들의 시선 때문에 행동하는 건 진짜 내가 아니야.'

'난 눈에 보이는 외모로 평가받고 싶지 않아.'

이 명제는 절반의 정답과 절반의 오답을 동시에 갖고 있다. 사람의 됨됨이를 외모나 보이는 것으로 판단해서는 안 된다는 점에선 분명 정답이다. 하지만 그 말은 또 한편에선 엄연히 오답이다. 다른 사람들이 그 사람의 눈에 보이는 외모나 행동, 태도를 문제 삼는 게 모두 편견이나 사회적 관습의 산물만은 아닐 수도 있기 때문이다.

자신의 표현에 자신감을 가지는 건 좋다. 하지만 그 표현이나 겉으로 보여지는 분위기 때문에 타인에게 피해를 주거나 부정적 영향을 끼칠 수 있다는 사실을 잊지 말자. 내 마음은 진심이라는 이유만으로 주변 사람들에게 허물없이 막말을 던지면 어떨까. 또 자신의 마음에 담은 표현을 여과 없이 마구 쏟아낸다면 어떨까. 그처럼 무례하고 무책임한 처사가 어디 있을지 묻지 않을 수 없다.

자기 자신을 소중히 지키기 위해서라도 속마음만큼이나 겉으로 보이는 외모와 언행을 의식하고 신경 써야 한다. 그것은 타인을 의식하고 나를 과시하는 나르시시즘narcissism이 아니라 타인과 세상을 배려하는 최소한의 예의다.


## 어떻게 말을 건네는 게 좋을까

살다 보면 우리는 서로의 관계를 무책임의 늪으로 밀어 넣는 대화나 상황과 마주하게 된다. 한 번만 더 생각하고 말하고 표현하자. 속에 담긴 진심만큼이나 중요한 건 그 마음을 전달하는 방법이다.

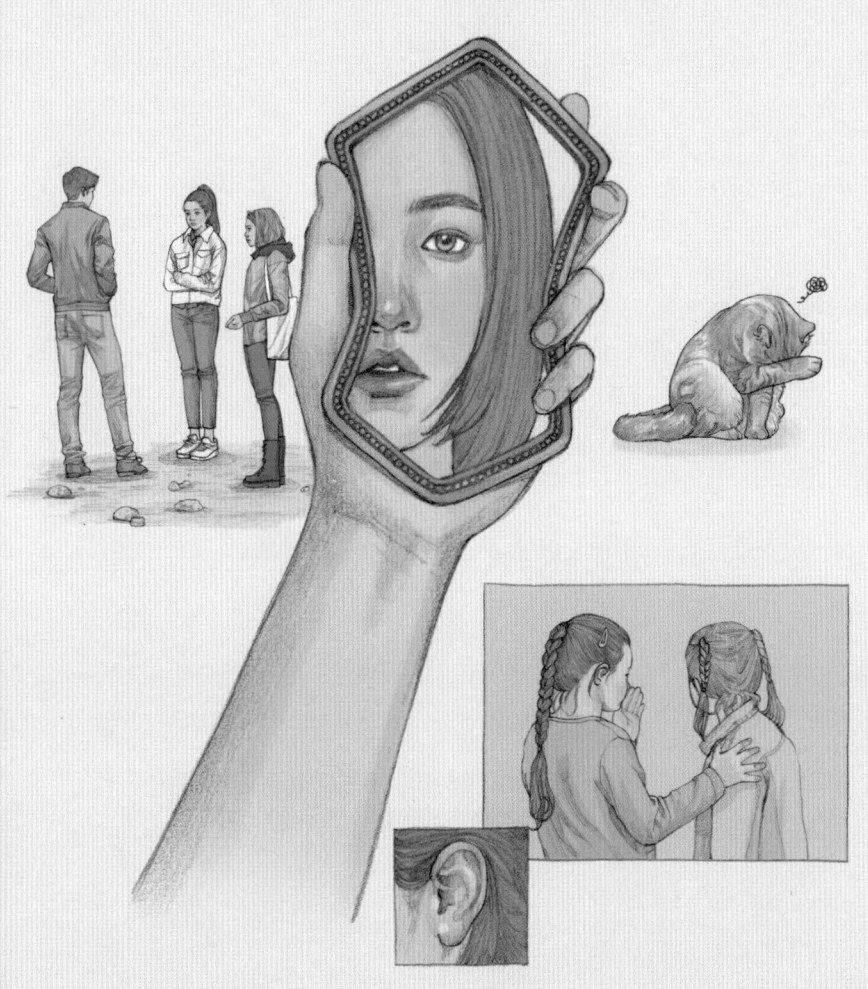

두 제자
이야기

어느 지혜로운 랍비가 있었다. 그에겐 자신을 무척이나 잘 따르는 두 제자가 있었다. 어느 날 랍비가 두 제자에게 다음과 같이 말했다.

"나는 모든 이들에게 신뢰를 받는 랍비다. 내가 만약 두 사람에게 돈을 빌렸다고 가정해보자. 한 사람에겐 이백만 원을, 다른 사람에겐 사백만 원을 빌렸다. 그런데 어느 날 두 사람이 동시에 날 찾아와 둘 다 사백만 원을 갚으라고 내게 주장했다."

제자 중 한 명이 물었다.

"그게 무슨 질문이 될 수 있습니까?"

"질문의 시작은 여기서부터다. 문제는 내가 누구에게 정확히 사백만 원을 빌렸는지 기억을 못 한다는 사실이다. 이 경우 과연 어떻게 해야 가장 지혜로운 답을 얻겠는가."

잠시 생각하던 두 제자는 누가 먼저랄 것도 없이 답했다. 먼저 한 명의 제자가 말했다.

"누구에게 사백만 원을 빌렸는지는 기억할 수 없지만 적어도 둘 모두에게 이백만 원 이상을 빌린 것만은 틀림없을 겁니다. 그렇다면 두 사람에게 먼저 이백만 원씩 갚고 나머지 이백만 원은 정확한 증거가 나올 때까지 법정이나 보증을 해줄 수 있는 제삼자에게 맡겨두는 게 바람직할 것 같습니다."

다른 제자도 빠르게 답을 이었다.

"두 사람 가운데 한 사람은 도둑입니다. 그런데 만약 똑같이 이백만 원을 준다면 그 도둑은 손해될 것이 하나도 없기 때문에 정의가 실현될 수 없습니다. 그러므로 두 사람 모두에게 돈을 돌려주지 말고 진실이 정확히 밝혀질 때까지 법정이나 제삼자에게 맡겨두어야 할 것입니다."

## 틀린 게 아니라 다른 것이다

위의 탈무드 이야기는 정의를 바라보는 관점을 유연하게 하자는 가르침이다. 얼핏 보기엔 두 번째 제자의 답변처럼 진실이 밝혀질 때까지는 돈을 갚지 않아야 하는 게 더 타당한 것처럼 보인다. 하지만 랍비는 결국 첫 번째 제자의 답에 손을 들어준다. 이유가 뭘까. 단순하다. 진실을 밝히기 위해 옳고 그름을 따지는 것보다 앞서서 다른 것을 다른 그대로 받아들이는 게 필요하기 때문이다.

돈을 빌려준, 소위 채권자의 기억이 흐릿해질 수도 있고, 시간이 흘러 그의 생각이나 의도가 달라질 수도 있다. 하지만 그렇다고 해서 처음 좋은 마음으로 돈을 빌려준 그 진실이 훼손되는 것은 아니다. 단지 채무자인 나와는 다른 생각을 하고 있을 뿐이다. 그의 생각이 나와 다르다는 마음으로 접근해야 한다.


## 정의를 이해하는 '나'만의 기준이 있는가

정의의 기본이 옳고 그름이라면 그 기준을 설정하는 근원에 배려가 있음을 잊지 말자.

# 아버지의
# 거짓말

사람들은 대체로 거짓말에 무척이나 엄격하다. 품위와 엄격한 도덕성을 최고의 가치로 삼던 어느 유대인 가족도 예외는 아니었다. 그의 아버지는 자녀들에게 지나치게 엄격할 정도로 거짓이 아닌 진실한 말만 할 것을 가르쳤다. 자녀들 모두 그런 아버지의 말에 수긍하고 실천했다. 만약 아버지가 진실을 강조하고 자신은 행하지 않았다면 모르겠지만 그는 자신의 모든 생각과 삶에 진실했으니까.

그러던 중 대대적인 유대인 학대가 벌어지고 말았다. 그들이 살고 있는 지역 역시 예외가 아니었다. 밖에서는 총소리, 고함 소리,

비명이 끊임없이 들려왔다. 그들은 꼼짝없이 집에 갇혀 침묵과 두려움 속에서 시간을 보내야 했다.

그런데 자녀들은 이때 처음으로 아버지에게서 거짓말을 듣게 되었다. 앞이 보이지 않는 어머니, 순하고 여린 성품의 어머니가 밖에서 일어나는 총소리에 대해 아버지에게 물었을 때, 그는 진실을 말해주지 않았다.

"여보, 밖에 들리는 저 총소리, 비명이 들리세요? 대체 무슨 일이 벌어지는 거죠?"

"내전이 일어난 모양이오. 우린 다른 곳으로 피신할 수 없으니 빈집인 것처럼 문을 걸어 잠그고 잠시 지하에 숨어 있어야 할 것 같아요."

"혹시…… 우리 유대인들을 잡아가기 위한 난리는 아니고요?"

"그럴 리가요, 정부는 민족에 상관없이 우리 모두가 하나의 국민이라고 말하지 않았소. 힘들더라도 지하로 내려갑시다. 며칠만요."

그렇게 그 가족은 지하 대피소로 내려갔다. 자녀 가운데 누구도 아버지가 어머니에게 한 말과 다른 말을, 곧 밖에서 벌어지는 진짜 상황을 말하지 않았다. 참된 가치를 보존하기 위한 아버지의 뜻을 이해했기 때문이다.

# 사랑을 위한 거짓은 진실의 다른 이름이다

거짓의 반대 개념은 무엇일까. 바로 정직이다. 정직함이란 진실이며, 그것은 인간만이 지닌 투명한 진솔함이다. 상대에게 진심을 열고 다가갈 때, 그 상대는 단순한 감동이 아니라 온전한 신뢰를 표시하게 된다.

그렇기에 우리는 '거짓말이 나쁘다'는 일반적 상식에 대해 좀 더 입체적으로 생각하고 접근할 필요가 있다. 거짓이 나쁜 이유는 우선 진실하지 못하기 때문이며, 나와 관계 맺고 있는 상대에게 궁극적 차원에서 신뢰를 주지 못하기에 그렇다. 그 불신의 뿌리는 결국 사랑하지 못하는 비극으로 연결된다. 하지만 이 역시 반대로 상대를 진심으로 믿고 상대의 진심을 자신의 것처럼 여긴다면 그 관계는 기쁨과 신뢰로 바뀔 수도 있다.

신뢰를 회복하기 위한 거짓말은 엄밀히 말해서 거짓이 아니다. 우리는 때때로 신뢰와 사랑을 위해 눈에 보이는 사실을 있는 그대로 정확히 말하지 못한 채 어쩔 수 없이 거짓말을 하기도 한다. 하지만 그런 거짓말은 관계를 더 돈독하게 할 것이다. 그렇게 굳어진 사랑은 그 자체로 진실하며, 그 진실의 견고함에 거짓은 스며들 자리가 없게 된다.

나는 누군가의 진심을 지켜주려 노력하는가

누군가의 진심을 지켜주기 위해 우리가 꺼낸 거짓이 어떻게 진실 안으로 녹아드는지 그 신비에 대해 생각해보자.

추레한
옷을 입은
지도자

한 국가의 지도자가 있었다. 그는 국민에게 골고루 지지를 받았으며, 평판도 나쁘지 않았다. 수려한 연설로 많은 이들을 감동케 했다. 그래서일까. 통치 기간이 거듭될수록 국민은 지도자의 모습에 실망하거나 피로감을 느끼는 게 아니라 변함없는 마음으로 그를 지지했다. 그가 세련되고 고급스러운 언행을 한다거나 평판 관리에 세심히 신경 썼기 때문에 지지율이 높은 것이었을까? 아니었다. 그가 국민의 지지를 받는 이유는 정작 다른 곳에 있었다.

　여름철 자연재해를 입어 졸지에 집을 잃게 된 수재민들이 있었다. 지도자는 자신의 신분을 숨긴 채 작업복을 입고 그날 새벽 수해 현장을 찾았다. 그리고 땀으로 목욕할 정도로 온종일 비지땀을 흘리며 복구 현장을 도왔다. 졸지에 집을 잃어 상심에 젖은 채 눈물짓는 한 어머니의 손을 붙잡고 진심으로 울고 아파했다. 추레한 작업복 차림, 땀에 젖은 볼품없는 꼬락서니, 주책없이 눈물을 흘리는 모습만 보면 한 국가의 지도자인 것이 심각하게 의심되는 품위 없는 행동일 수 있다.

하지만 다수의 국민은 그 지도자의 실추된 품위, 그 행간에서 사랑을 읽었다. 진심이 묻어 있는 사랑이 있었기에 품위도 의미를 가질 수 있다는 것, 지도자는 누가 가르쳐주지 않아도 그것을 깨달았던 것이다.


## 사랑은 품위 없는 행동마저 상쇄한다

여러 종류의 사랑이 있다. 부모와 자식 간의 사랑, 연인 간의 사랑, 동료 사이에 느낄 수 있는 압도적인 신뢰와 관계에 대한 믿음에서 비롯된 사랑 그리고 국민의 삶을 아끼고 돌보려는 지도자의 마음까지. 우리는 때로 이 사랑의 테마를 성질과 때, 시기에 따라 구분해 이해하려고 한다. 사랑과 품위를 동일시하기도 한다. 부모가 자식을 대할 때 때론 엄격함이 요구된다. 국민이 한 국가의 지도자에게 요구하는 사랑의 모습은 더더욱 그럴지도 모른다. 품위 있는 태도, 고상하고 절제된 말 같은 것들 말이다.

하지만 굳이 예를 들지 않아도 사랑은 품위 없는 행동을 상쇄하고도 넘어서는 경우가 많다.

다르게, 혹은 뒤집어 보면 사랑만큼 추상적인 영역도 없다. 사랑은 정확히 규정하거나 정의할 수 없는 감정이다. 하지만 사랑의 감정이 추상적이라고 해서 사랑을 부정할 수 없다는 걸 우리 모두는 안다. 좁게는 연인, 부모와 자식 간, 형제에서 시작해 넓게는 한 공동체가 기본적으로 추구할 수밖에 없는 행위의 원동력이 되어 주는 것도 사랑이기 때문이다. 이렇듯 한없이 추상적이고 모호하면서도 우리 삶에서 결코 외면할 수 없는 수준으로 육박해 들어오는 사랑을 빠른 속도로 긍정하는 게 가장 중요하다.

그 사랑을 긍정하게 되면 이 세상을 바라보는 방식도 급진적으로 바뀔 수 있다. 사랑은 타성과 관습, 인간의 욕구로 쌓아 올린 충동에 제동을 걸기 때문이다. 아울러 사랑은 타인의 시선에 길들여진 관습에서 벗어나 나 자신을 다시 보게 한다. 진심으로 중요하게 생각하는 자신의 본질적 소명에 눈뜨게 한다.

## 사랑하는 사람의 눈을 바라보자

사랑하는 사람의 눈을 바라볼 때, 그의 눈빛에 담겨 있는 진심을 대할 때, 그때 당신의 마음 깊이 파고드는 순수를 긍정하라. 철저히, 설득되지 않는 순간까지.

사람은
무엇으로
사는가

모든 기대와 바람이 막혀 있던 한 랍비가 절규하며 신에게 다음과
같이 외쳤다.

"성전이 무너진 날부터, 기도의 문은 닫혔습니다. 마치 예레미야
애가서의 '내가 부르짖어 도움을 구하나 내 기도를 물리치셨다'는
탄식과 절망이 밀려올 때가 너무나 많습니다. 하지만 기도의 문은
닫혔을지라도, 눈물의 힘은 믿을 수밖에 없습니다. 시편이 다음과
같이 위로해주기 때문입니다.

'오 주여, 나의 기도를 들으시며 나의 부르짖음에 귀를 기울이소
서. 내가 눈물 흘릴 때 잠잠하지 마옵소서' _ <시편> 39편 12절"

# 사람은 무엇으로 사는가
# 아니, 사람은 무엇으로 살 수 있는 걸까

탈무드의 가르침은 냉정한 듯 보이지만 한없이 자비롭기도 하다. 심지어 무모할 정도로.

신은 눈물로 기도하는 자의 기도를 반드시 들으신다. 탈무드의 자비는 눈물을 긍정한다는 데 그 고결함이 있다. 저 높고 거룩한 신에게 인정받기 위한 우리의 노력은 눈물 한 방울로도 충분하다.

질문이 생길 수 있다. 탈무드에 등장하는 온갖 율례와 신을 향한 계명이 보통 까다로운 게 아닐뿐더러 끊임없는 종교적 실천을 요구하는데, 그런 어려움을 무시하고 눈물이면 다 해결된다는 게 모순이 아닐지 하는 질문이 그렇다. 하지만 이는 종교적 삶에서 요구되는 모든 의식 절차와 수많은 기도문의 가치와 실천을 깎아내리는 게 결코 아니다. 그 모든 엄숙하고 철저한 의식 절차의 행간에 진실한 마음의 호소와 깊은 감정의 울림이 없으면 신의 마음을 움직일 수 없음을 지적한 것이다.

탈무드는 말한다. 눈물이 예배자의 신실함과 감격, 그리고 열중을 상징한다고. 위 이야기에 나오는 랍비의 외침은 그러한 가르침의 증거인 셈이다.

그리고 우리는 여기에서 사람이 사람으로서 살아가는 데 가장 중요한 원리를 알 수 있다. 바로 '감동'이다. 감동은 단지 감정의 반응만이 아니다. 사람은 자신에게 주어진 삶을 견뎌내면서 찾아오는 수많은 굴곡과 갈등을 힘겹게 파헤쳐나가는 가운데 늘 지치기 마련이다. 그리고 때론 묻게 된다. '나는 왜 살아야 하는 거지?' '왜 이렇게 힘든 세상의 끈을 놓지 못하는 거지?' 극단적인 생각이나 상상을 하는 경우가 아니라 하더라도 이런 질문들을 현대인이라면 한 번쯤은 물었던 기억이 생생할 것이다.

　　하지만 그 힘겨운 시간 너머에 우리에게 손짓하는 게 있다면 믿겠는가. 그게 바로 감동이다. 그 감동은 사람이 사람답게 살아보려고 몸부림치는 가운데 어쩔 도리없이 솟구치는 진심과 절묘하게 맞닿아 있다. 진심을 갖고 사람으로서 살아보겠다는 외침과 호소를 또 다른 사람들은 반드시 듣고야 만다. 지금 당장 알아주는 사람이 없어 보여도 반드시 그 진심을 담은 감동의 외침은 굳게 닫힌 사람들의 마음 문을 열어젖힐 것이고, 그 진심에 황홀한 공명을 일으키고야 말 것이다.

# 나는 무엇을 보고 진실을 믿는가

사람과 사람 사이에 흐르는 진실의 비중은 절대적으로 중요하다. 하지만 우리의 현실이 이 진실을 어느 정도로 소중히 여기는지는 회의적이다. 어려운 현실 가운데 있거나 상대의 진실을 제대로 알지 못할 때에는 서로의 실수나 허물을 용서하거나 망각하는 훈련이 제대로 기능하지 못한다. 상대의 진실, 그 진실의 호소인 눈물을 신뢰할 수 있으려면 먼저 진실을 믿는 훈련이 필요하지 않을까.

# 어느 부부의
# 공통점

한 부부가 있었다. 둘은 열정적이란 공통점이 있었지만, 단지 그뿐이었다. 성격, 외모, 가치관, 모든 면에서 둘은 달랐다. 그래서일까. 안타깝게도 둘은 하루가 멀다 하고 부부 싸움을 했으며, 그들의 마음과 몸은 빠르게 지쳐갔다.

해결책을 찾고 싶어 둘은 저명한 랍비를 찾아갔다. 문제 해결에 대한 그들의 강한 의지를 확인한 랍비는 둘의 이야기를 따로 들어보기로 했다.

하지만 둘의 이야기는 평행선을 달릴 뿐이었다. 아내의 이야기를 들을 땐 온통 남편의 결점과 남편에 대한 절망밖에는 없었다.

남편의 이야기 역시 마찬가지였다. 그런데 랍비의 상담 태도를 지켜본 제자가 의문을 품었다. 랍비는 아내가 남편 이야기를 할 때는 아내 말이 옳다며 고개를 끄덕였는데, 정작 남편이 아내 이야기를 할 때는 정반대로 남편 말이 옳다고 맞장구를 쳐주는 것이었다.

부부가 돌아간 뒤 제자가 넌지시 물었다.

"도대체 누가 옳은 겁니까. 솔직히 전 스승님의 태도를 이해할 수 없습니다."

제자의 다소 도발적인 질문에 랍비가 천천히, 하지만 상세히 답해주었다.

"서로의 감정이 극한에 치닫는 둘에게 상대를 이해하라고 말하는 것 자체가 폭력이야. 마음속 울분과 흥분을 쏟아내는 게 우선이지. 지금 돌아간 부부는 상대의 험담을 일방적으로 쏟아냈으니 한편으론 후련할 거야. 하지만 그렇게 흥분이 가라앉은 뒤엔 상대를 이해할 틈을 발견하게 될 거야. 그 틈을 재료 삼아 다시 상담은 시작되겠지."

# 화해엔 왕도가 없다

오늘의 우리 시대를 어떻게 요약할 수 있을까. 견해의 차이는 있 겠지만 한마디로 상담의 시대라고 정의해도 이견을 달 사람은 많 지 않을 것 같다. 그만큼 지금 시대엔 상담하고 상담받는 일이 넘 쳐나고 있다. 안타깝지만 상담의 시대가 도래했다는 건 그만큼 많 은 이들이 자신과 가장 가까운 사람에게조차 이해받지 못한다는 아픈 반증일 것이다.

그런데 이해받지 못하는 거대하고 뿌리 깊은 오해가 어디에서 비롯되었는지 살펴보면 의외로 단순한 곳에 답이 있다.

혹시 상담을 문제 해결의 영역으로만 좁혀 취급하는 건 아닐 까? 만약 그렇다면 우리는 한사코 나 자신과 타인의 문제만을 분 석하려 들 것이다. 그리고 더 나아가 그 문제의 해결책과 실천을 강요할 것이다. 하지만 상담을 이해의 영역으로 확장해 바라보면 어떨까? 문제의 분석과 해결책 제시를 앞세울 게 아니라 먼저 그 문제에 휘말렸던 당사자가 얼마나 힘들었을지, 얼마나 아팠을지 를 공감해주는 게 우선되어야 할 것이다. 놀랍게도 우리는 문제를 직면했을 때, 대부분 그 문제의 해결책을 알고 있다. 해결 방법을 모르는 게 아니다. 단지 내가 그 문제로 인해 얼마나 아프고 힘든 지 누군가에게 이해받고 싶은 것이다. 상담을 해주는 사람은 오히려 그러한 마음에 집중해야 할 것이다.

그리고 이렇게 말해줘야 할 것이다.

"당신이 지금 얼마나 아프고 힘든지, 이해하고 싶어요."


## 그저 이해받고 싶을 때가 있다

상대방의 말에 이론이나 논리, 자기주장만 앞세우지 말자. 그저 한 번만이라도 그 사람의 마음을 이해하도록 노력하자. 이해하는 법을 배운 뒤에 찾아오는 대화는 그 차원이 다르다.

6장

·

# 토요일

인간이란 무엇인가

인간의
탄생 기원

탈무드를 이루는 두 개의 큰 뿌리라 할 수 있는 샴마이 학파와 힐렐 학파*, 이 두 학파는 인간의 창조와 세상의 탄생을 놓고 견해가 달랐다. 한 학파는 인간이 창조되었기 때문에 세상이 아름답고 살만해졌다고 주장했고, 다른 학파는 인간이 창조되지 않았더라면 세상은 더 아름답고 찬란했을 거라고 주장했다. 그 논쟁은 멈추지 않았고, 결국 랍비들은 이 견해를 표결에 부치기로 했다. 그들도 내심 그 결과를 궁금해했다. 과연 어떤 결과가 나왔을까.

표결 결과는 치열하게 토론했을 때와는 달랐다. 논쟁과 토론을 벌일 때는 팽팽했지만 정작 표결에 부치고 나니 하나의 의견으로 기울었다. 인간이 창조되지 않았더라면 세상은 더욱 아름다웠을 거란 견해가 압도적이었다.

하지만 이 결론엔 필연적으로 하나의 전제가 뒤따랐다.

"그렇지만 이 가정법보다 더 중요한 건 지금 우리 인간이 창조되었다는 사실이오. 그렇기에 우린 세상에 대해 책임감을 느끼고 반성과 돌이킴 속에서 세상의 아름다움을 조금이라도 더 훼손하지 않을 방법을 강구해야 할 의무가 있는 거요."


## 인간이란 무엇인가

인간의 탄생 기원을 놓고 탈무드 학자들은 격렬한 논쟁을 벌이곤 했다. 그 논쟁은 결론을 쉽게 맺을 수 없었으며, 얼핏 보면 소모적으로 보이기까지 했다. 하지만 그들은 계속 논쟁하길 멈추지 않았다. 그 논쟁은 탈무드의 탄생 배경이기도 하다. 그들은 그러한 논쟁을 통해 신의 지혜를 배웠고, 인간이 나아갈 길을 깨우쳤기 때문이다.

'인간이 창조된 것인가', 아니면 흔히 말하는 유물론처럼 '자연의 일부로 주어진 것인가'라는 질문이나 논쟁은, 오늘을 사는 우리에게 해묵은 이야기이거나 사는 데 별 관심 둘 필요 없는 추상적인 주제로 밀려난 듯 보인다. 그런 인식 때문인지 오늘의 우리는 탈무드의 가르침에서 많은 부분을 차지하는 인간 존재에 대한 추상적이거나 철학적인 질문, 인간다움의 가치나 도덕을 묻는 소위 인문학적 가르침에 귀를 기울이기가 어렵다. 강의나 강좌에 '인문학적'이란 이름을 특별히 붙이는 것 자체가 오히려 인문학적 관심이 현저히 떨어진 사회현상을 반영하는 게 아닐까.

그런데 탈무드의 또 다른 측면을 보면 인간 존재를 읽는 철학적 방식과는 거리가 멀어도 한참 먼 가르침 역시 쉽게 찾아볼 수 있다. '대체 이걸 왜 알아야 하지?' 하는 의문이 들 정도로 시시콜콜할뿐더러 어떤 의미나 교훈도 찾을 수 없고 심지어 우리 생활에서 쉽게 적용할 수도 없다. 언뜻 보면 무의미해 보이기까지 한 소소한 삶의 이야기도 담겨 있는 게 탈무드의 또 다른 모습이다.

이를 통해 우리는 탈무드 가르침의 본질을 조심스럽게나마 파악하게 된다. 인간의 존재 의미를 묻는 우리는 오히려 그러한 질문으로 우리 자신이 지금 오늘의 세상을 살아간다는, 이른바 생에 대한 강한 긍정을 하게 된다. 또한 내가 주인이라는 의식으로 삶을 끌어가는 강한 의지도 갖게 된다. 내가 처한 오늘의 현실을 지나치게 비관적으로 또는 그 반대인 낙관적으로만 생각하지 않고, 있는 그대로 바라보게 된다.

이 '바라봄'에서 시작된 나와 세상을 에워싼 수많은 모순, 형편

없이 일그러져 가는 세상의 모든 문제에 대해 가장 현실적인 대안을 세우거나 떠올리고, 그게 안 되면 최소한 토론이라도 할 수 있는 태도를 갖추게 되는 것이다. 탈무드는 바로 그 태도를 위해 우리에게 배움의 손길을 건넨다.


## 최소한, 질문이라도 해보자

어떤 질문이라도 내가 현재 하는 일에 도움이 안 된다고 섣불리 판단하지 말자. 무엇이든 묻고 생각해보자. 최소한 질문이라도 해보자는 것이다.

---

**샴마이 학파와 힐렐 학파**는 기원전 1세기 말부터 기원후 1세기 초까지 각각 샴마이와 힐렐의 가르침을 따르던 랍비들의 학파이다.

# 어느 학생의
# 습관

어느 탈무드 학교에 소리 내어 기도하는 습관을 지닌 학생이 있었다. 그는 자신에게 주어진 여러 가지 문제를 놓고 신에게 호소하고 하소연하며, 그렇게 위로를 받았다.

또한 그는 사람들과 대화하는 걸 즐겼다. 대화의 주제는 주로 자신에게 현재 일어난 문제들에 관한 것이었다. 그는 문제의 답을 구하기보다는 대부분 자신의 억울함이나 안타까운 상황을 다른 사람들이 충분히 알아주길 기대했다. 하지만 실제로 그렇게 대화를 요청한 뒤 답을 얻게 되면 기대 이하라며 사람들의 의견을 무시했다. 실제로 도움받는 일도 없었다. 문제에 대한 답은 그가 미리 준비해 놓았으니까.

그 학생은 답을 모두 정해놓고도 계속해서 신에게 하소연하며 동시에 신을 향한 찬미와 감동을 쏟아냈다. 자신의 고민을 다른 이들에게 털어놓는 일도 멈추지 않았다. 그 결과는 어땠을까?

신에 대해 더 많이 말하고 찬미할수록 유익하고 좋은 걸까. 많은 사람에게 위로받았다고 생각하면 마음이 한결 편해지는 걸까. 여기엔 모순이 존재한다. 실제로는 그러한 찬송이나 고백의 행위가 오히려 신의 위대함을 제한해 버린다면 믿겠는가. 동시에 많은 사람에게서 신뢰를 잃게 된다면 그 역시 믿기는가. 하지만 실제로 그랬다. 그 학생이 신앙심이 좋다고 생각하거나 진심으로 위로해주고 싶은 사람은 아무도 없었다. 그 사실을 알게 된 학생은 크게 상심했다.

이를 지켜보던 스승 랍비가 결국 학생에게 찾아가 한마디 보탰다.

"신의 위대함은 너무나 강렬해. 그래서 우리는 더욱 화려한 미사여구美辭麗句로 신을 찬양하려고 하지. 하지만 어떤 시도는 신성을 규정하고 한정하는 데 보탤 뿐이야."

그와 함께 이어지는 한마디가 학생의 마음을 새롭게 했다.

"때론 침묵의 값어치가 말의 두 배란 점을 배울 필요가 있어."

# 침묵의 힘은 위대하다

우리는 하루에 얼마나 많은 말을 할까. 주로 대화로 오가는 말을 통해 우리는 어떤 목적을 달성할 수 있을까. 우리는 소통의 가장 중요한 수단으로 '말하기'를 꼽곤 한다. 아니, 주저 없이 '말하기'를 소통의 최우선 수단으로 삼을지도 모른다. 물론 맞는 말이다. 말하지 않으면, 다시 말해 표현하지 않으면 상대는 당신이 무엇을 원하는지, 어떻게 느끼고 있는지 알 수 없다. 우리는 많은 의견을 주고받는다. 때론 대화를 통해, 때론 업무 지시나 통신, 설교를 통해 지식을 주고받고 의견을 나눈다. 그만큼 말하기는 포괄적인 의미에서 소통의 뿌리가 된다. 그건 의심의 여지가 없다.

하지만 그 소통의 근본이 때론 우리를 배반하기도 한다. 말의 과잉이 불필요한 오해를 낳기도 하며 피로감을 쌓기도 한다. 잘못된 정보와 신념에 근거한 말들이 세상을 지배할 때, 우리는 알게 모르게 거짓 정보를 진실인 것처럼 믿으라고 강요받고 그 속에서 세뇌당하며 신음할지도 모른다.

그럴 때, 가장 필요한 것은 역설적이게도 침묵이다. 말의 과잉, 말의 왜곡을 순간 정지시키고 시간의 간격을 두고 생각할 수 있는 성찰의 여백을 제공하는 게 바로 침묵이다.

잊지 말자. 소통에서 말하기는 결코 빼놓을 수 없는 중요한 수

단이다. 하지만 침묵은 그 말하기를 더 값지게 하는 소중한 수단이란 사실을 말이다.


## 침묵을 견디지 못하는 이유는 무엇일까

침묵의 유사어가 있다. 바로 '듣기'다. 듣는 법을 알지 못하고, 듣는 습관을 익히지 못한 이는 침묵을 견디지 못한다. 지금이라도 내 입은 다물고 '너' '당신'의 말을 귀 기울여 들으라. 진지하게. 내 문제만큼이나 치열하게.

노교수의
마지막 눈물

주변의 모든 이들에게 존경받는 사람이 있었다. 그는 충분히 그럴 자격이 있었다. 그는 대학교수로 존경받을 만한 명예를 쌓았고, 그만한 실력도 있었다. 그렇다고 교만하게 자신의 지위나 신분을 과시하지도 않았다. 사람들과는 고결하고 친절한 관계를 맺고 있었다. 그러한 대인 관계의 바탕엔 따뜻한 마음도 한몫했을 것이다. 그를 아는 사람들이라면 오히려 그를 존경하지 않기가 더 어려울 정도였다.

그런 그가 어느덧 팔순을 넘기게 되었다. 팔십 세가 넘자 예상했던 것보다 훨씬 더 빠르게 그의 몸은 쇠약해졌다. 병에 걸려 기운이 없다는 건 머지않아 죽음이 임박했음을 알리는 신호이기도 했다.

그의 병을 안타까워하던 제자들이 각지에서 모여들었다. 그때, 그가 갑자기 울음을 터트렸다. 팔순이 넘는 나이의 남자가 흘리는 눈물이라곤 믿지 않을 만큼 서러움이 가득한 울음이었다. 누군가 물었다.

"선생님, 왜 우십니까? 이게 무슨 일입니까?"

"죽음이 그토록 아쉬워서입니까?"

"선생님, 혹시 삶이 후회되어 울음을 터트리시는 거라면 당치도 않습니다. 당신은 한시도 배움을 놓지 않으셨고, 진심을 다해 우리를 가르치셨습니다. 무엇보다 사람들 모두가 당신을 존경하고 있지 않습니까? 이런 선생님께서 왜 이렇게 서럽게 우셔야 한단 말입니까? 이해할 수가 없습니다."

제자들은 무척 당황해했다. 자신들이 존경하는 이, 죽음을 앞둔 노학자의 서글픈 울음을 듣자 마음이 혼란스러웠다. 그때, 노교수가 다음과 같이 답했다.

"바로 그 이유 때문에 울 수밖에 없는 겁니다."

"그게 무슨 말씀이세요? 그 이유 때문이라뇨?"

"죽음을 목전에 둔 이 순간에도 난 늘 그렇듯 나 자신에게 물었습니다. 학문에 애썼는지, 자선에 힘썼는지, 옳게 살려고 피 말리는 노력을 했는지. 그렇게 묻는다면 내가 어떻게 답했을 것 같습니까?"

"당연히 힘껏 고개를 끄덕이셨겠지요."

"맞아요. 난 전부 '예'라고 답할 수 있었어요. 하지만 내가 내 이웃들과 함께 어울려 기쁨과 슬픔을 나누는 일을 진심으로 함께 했느냐고 물었을 때, 난 아무 답도 할 수 없었습니다. 그래서 눈물을 흘리는 겁니다. 통곡할 수밖에 없던 것입니다."

노교수의 말에 제자들도 일제히 침묵했다. 서로를 바라보며 생각에 잠기기 시작했다. 노교수가 그런 제자들을 보며 다시 눈물지었다. 그리고 떨리는 목소리로 말했다.

"당신들도 질문해보세요. 이웃들과 함께 진심으로 함께했는지에 대해서."


## 이웃과 함께하지 않으면
## 반드시 눈물 흘릴 수밖에 없다

이웃과 친구에 대한 생각의 폭을 넓혀주는 이야기다. 때로는 우리 삶에서 이웃이나 친구가 거추장스럽게 느껴질 때가 있다. 인정하고 싶지 않지만 꽤 빈번하다. 나 하나 추스르기도 쉽지 않은 지금의 세상살이에선 더욱 그렇다. 더욱이 이웃이나 친구가 자신들이 원하는 것만 채우고 돌아설 때, 우린 더불어 살아가는 의미에 대해 회의하기 시작한다.

하지만 역설적으로 생각할 필요가 있다. 아무리 거추장스러워 보여도 우린 혼자 살아갈 수 없다. 쉽게 말해 나 혼자 먹고살 수 있는 세상이 아니다. 사회구조가 그 자체를 허용하지 않는다. 그것은 당연한 현대사회의 이치이며, 거부할 수 없는 일종의 규칙이다.

탈무드는 더불어 살아갈 수밖에 없는 세상에서 더 적극적으로 이웃과 어울리며 그들과 함께하는 체질과 습관을 기르라고 가르친다. 아울러 그 함께하라는 가르침에 자발적 의지까지 덧붙여 주문한다. 그러한 마음으로 나와 함께하는 이웃을 대할 때, 그들에게서 놀라운 협력 효과를 발견하게 될 것이다. 우리 자신이 먼저 도움과 협력의 손길을 내밀 때, 돌아오는 호의에 대한 반응은 이기주의에 갇힌 우리의 좁은 소견을 넉넉히 뛰어넘는다.


## 함께 산다는 건 무슨 의미일까

이웃과 함께하는 일은 대부분 거추장스럽거나 비효율적인 일로 느껴질지도 모른다. 하지만 먼저 가까이 있는 이웃과 친구에게 화해나 협력의 손길을 내밀어보자. 그때 우리는 함께 산다는 것의 참뜻을 알게 될 것이다.

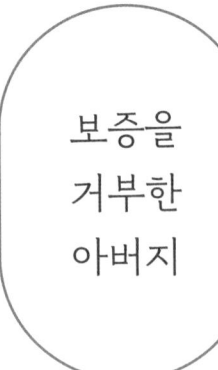

보증을
거부한
아버지

어느 탈무드 학교가 있었다. 그 학교는 대대로 명망 있는 학자를 다수 배출했다. 그 학교를 나온 한 랍비 역시 사람들에게 무척 존경을 받았다. 세월이 지나 그 랍비가 임종을 앞두게 되었다. 가족들이 모여들었다. 그 랍비에겐 세 아들이 있었는데, 특별히 성적이 꽤 우수한 아들이 있었다. 맏아들인 그는 모든 면에서 뛰어났다. 당연히 탈무드 학교에서도 랍비의 맏아들이 존경받는 랍비의 반열에 오를 것으로 예상했다.

　그 맏아들이 임종을 앞둔 아버지 랍비에게 찾아가 정중히 요청했다.

"아버지 랍비여, 부탁드릴 것이 있습니다."

"말해라."

"아버지의 지인들에게, 그리고 탈무드 학교 측에 제가 얼마나 우수한 학생인지, 얼마나 존경받는 랍비로 성장할 수 있는지 추천해주시면 좋겠습니다."

그건 오래된 전통 같은 것이었다. 권위 있는 아버지 랍비의 추천이 있다면 아들 역시도 그 학교의 랍비가 되는 건 시간문제였기 때문이다. 하지만 임종을 앞둔 아버지 랍비의 답은 모두의 예상을 깬 것이었다.

"난 널 추천하지 않겠다."

"아버지, 그게 무슨 말씀이세요? 제가 혹시 배움이나 능력이 부족해서 이러시는 겁니까?"

"아니, 오히려 그 반대다."

"이해할 수 없습니다. 왜 추천을 거부하는 거죠?"

"내가 널 추천하면 내 명성에만 가려져 네 진가가 제대로 드러나지 못하기 때문이다. 네 실력을 있는 그대로 펼쳐서 인정받거라. 그리고 그렇게 얻은 평판으로 올라서거라. 그게 진정 존경받는 랍비가 되는 길이다."

# 보증과 추천으로 만들어지는 인간은 허무하다

유대인의 삶에서 어느 한 사람을 보증하는 증언이나 추천은 무척 중요하다. 하지만 탈무드는 그보다 더 중요한 본질에 대해 얘기한다. 그것은 바로 그 사람이 맺고 있는 인간관계에서 얻는 평판이다.

앞선 이야기는 높은 평판을 사람들에게서 끌어내기 위해 우리가 쉽게 빠지곤 하는 한 가지 오류를 잘 보여준다. 그건 바로 자신의 주위 배경을 이용하는 일이다. 사람들은 가족이나 친지, 지인 중 유명 인사가 있거나 좋은 학교를 다녔으면, 그것을 자신의 인맥을 더욱 넓히고 실력을 인정받기 위한 발판으로 삼으려는 경우가 많다.

그런데 사실 돌이켜보면 주변 사람이 나에 대해 좋게 말해주기 바라거나 '나'를 세상에 소개하기 위해 다른 명망 있는 이들의 보증이나 추천을 받으려고 노력할 시간에, 오히려 나 자신의 실력을 쌓는 데 주력한다면 놀라운 결과가 뒤따를 것이다. 그 노력만으로도 당신이 주목받을 기회는 훨씬 더 넓고 깊어진다. 언론, 매스미디어, SNS, 개인 방송이 활성화된 오늘의 사회에서 명망 있는 유명인, 영향력 있는 사람이 되는 길을 외부에서 찾지 말고 내부에서 찾아야 한다는 주문, 그 요구 앞에 적극적으로 임할 때, 비로소 우리는 참된 활력을 얻게 된다.


## 나 자신이 인플루언서다

스스로 이해할 수 있는, 나 자신이 설득될 수 있는 나를 소개하자. 다른 사람이 바라보는 나 말고 내가 바라보는 나를 말이다.

인간의
조상

탈무드에서는 집요할 정도로 사람을 있는 그대로 받아들이라고
가르친다. 신과 인간의 관계에서도 그렇다. 탈무드의 근간이 되는
유대교에서 출발한 신의 개념은 인간보다 상위 개념, 숭배받아야
할 개념으로 자리 잡은 것이 아니라 신도 인간과 하나되어 어울리
는 대상으로 여기며 숭고한 의미를 부여한다.

　이와 마찬가지다. 탈무드는 모든 인간의 조상은 하나라고 가르
친다. 그렇기 때문에 이 세상에 자신과 비교해 다른 인간보다 우월
하거나 열등한 인간은 없다고 말한다. 인종, 지식, 성별, 나이 등
이 모든 건 행동 양식의 차이일 뿐 우월함과 열등함을 구분하는

기준이 아니다.

그 때문에 만약 어떤 사람이 다른 사람을 죽이거나 해한다면 그는 인류 전체를 죽이거나 해한 것과 동일하다. 같은 원리로 누군가가 한 사람의 생명을 살린다면 그는 모든 인류를 구한 것과 같다.


# 내가 누군가를 미워한다면
# 나는 인류 전체를 미워하는 것이다

우리가 살아 있다고 믿는 건 어떤 기준에서일까. 아니, 그걸 기준이라고 말할 수 있을까.

단순하게 사람은 눈에 보이는 물리적 법칙, 또는 현상계를 신봉한다. 지금 우리 눈과 귀, 코에 보이고 들리고 맡아지는 것이 지속되기만 하면 살아 있는 걸까? 하지만 분명 살아 있다는 건 단순히 육체만이 살아서 움직이는 것을 뜻하지 않을 것이다. 정신이 깨어나고 사물의 이치를 깨닫고 우리가 이렇게 현상적으로 살아 있는 궁극의 의미가 이해될 때, 그것이 바로 살아 있는 것이다.

내가 살아 있다는 건 어쩌면 다른 이에게 나의 정신, 예술, 종교, 사상을 주저하지 않고 과감하게, 그러면서도 무례하지 않는 존중의 마음으로 전하는 과정인지도 모른다. 그런 인식의 공유야말로 우리가 살아 있음을 지탱하게 하는 것이다.

반대로 그러한 살아 있음을 존중하지 않을 때, 우리는 스스로 죽음을 자초하는 것일지도 모른다. 심지어 그것은 '나'를 죽이는 걸 넘어서서 '너'로 대표되는 다른 이들도 죽음의 카니발에 초대하는 것인지도 모른다.


## 내가 정말로 '살아 있다'고 느끼고 있는가

나를 깨우는 연습이 필요하다. 내가 타성과 습관, 일상에 젖어 있지는 않은지, 내가 정말로 살아 있다고 느끼는지 의식하고 점검하는 연습 말이다. 그게 선행되지 않으면 나는 누군가의 죽음을 방치한 사람이 되고 말 테니까.

페이스메이커

탈무드의 가르침을 오랫동안 숙고한 한 운동선수가 있었다. 그가 경기에 나가 최고의 영예를 상징하는 메달을 받고 감격해하자 기자들이 물었다.

"지금 최고의 영광을 안게 되었는데요. 심정이 어떻습니까?"

그러자 그는 기자들의 질문에 조금은 다른 답을 남겼다.

"실제 경기를 뛴 저보다 더 위대한 사람이 있습니다."

"누구를 말하는 겁니까? 가족? 코치? 감독님을 말하는 겁니까?"

"그럴 수도 있겠지만 더 궁극적으로는 제가 운동을 시작하고 계

속할 수 있도록 동기를 부여하는 이가 가장 위대하다고 말할 수 있겠습니다."


## 영향을 이끄는 말 한마디가
## 행하는 것보다 더 높은 산이다

　세상에서 영광을 얻는 이들은 대부분 무대의 전면에 나서는 이들이다. 화려한 스포트라이트를 받고 환희와 존경, 막대한 팬심을 누리는 것도 무대 위의 히어로hero와 히로인heroine 들이다.

　이는 스포츠 경기에서도 예외 없이 적용된다. 영광의 무대 위에서 놀라운 기록을 세운 선수에게 쏟아지는 박수갈채는 의심의 여지 없이 선수의 몫이다. 그렇다면 위 이야기에 나오는 운동선수의 답을 우리는 어떻게 이해해야 할까?

　마라톤 경기를 들여다보면 아주 특별한 전략을 발견하게 된다. 바로 자발적 희생양이 존재한다는 사실이다. 페이스메이커pacemaker라고 불리는 이들은 마라톤 주자가 중도에 페이스를 잃거나 본래의 목적을 잃어버리지 않도록 적당히 보폭을 맞춰주는 역할을 한다.

　특별한 무언가가 있는 사람들을 취재해 보도하는 언론은 주로 성공한 이들에게만 초점을 맞춘다. 하지만 그 특별함에는 성취자의 도전만 있는 것은 아니다. 그러한 도전이 가능하도록 쉼 없이 독려하고 격려해온 스승이나 지인, 특별한 뜻을 나누는 동료와 가족의 지지가 없었다면 불가능했을 것이다.

현재 한국을 대표하는 축구 선수로 성장한 손흥민 선수 역시 그와 함께 호흡하는 아버지란 존재가 없었으면 어땠을지 묻게 된다. 비록 천재적 재능을 가진 손흥민이었지만 그 재능을 실제 실력으로 발전시키는 데는 아버지의 끊임없는 관심과 격려가 있었기에 가능하지 않았을까. 누군가가 나를 응원해주고 있다는 그 마음, 누군가의 한마디가 우리의 삶을 변하게 한다.


## '나'의 실제 멘토는 누구인가

이루고픈 꿈과 목표를 실제로 성취했다면 그 열매에만 취하지 말고 그동안 나를 격려하고 동기를 부여한 이가 누군지부터 찾는 것이 중요하다. 그리고 나 역시 누군가에게 그의 꿈을 응원하고 동기를 불어넣는 사람이 되자. 이는 그 어떤 일보다 멋진 일이다.

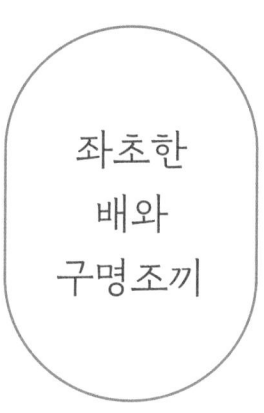

좌초한
배와
구명조끼

상상도 하기 싫은 일이 벌어졌다. 대양을 횡단하던 배가 좌초되었고, 살아남기 위해선 구명조끼를 착용해야 했다. 하지만 난파된 배에 탑승한 승객 인원에 비해 구명조끼의 수가 조금 모자랐다. 이유는 불법체류를 하려던 이민자들이 배 지하 칸에 무임 승선했기 때문이다.

정식으로 요금을 납부하고 배에 승선한 이들도, 무임 승선한 이들도 모두 절박한 마음으로 가라앉는 배의 뱃머리로 올라왔다. 정식 승객들이 선장에게 요구했다. 그것은 정당했고 그만큼 절박한 요구였다.

"구명조끼를 모두 사용할 수 없는 건 불법으로 배에 오른 사람들 탓이요. 안타깝지만 이들에게 구명조끼를 줄 순 없어요."

다른 의견을 가진 승객들도 있었지만 그들은 침묵할 수밖에 없었다. 불법 승선자들까지 모두 살리자고 한다면 자신들 가운데 일부는 구명조끼를 입지 못하는 일도 생길 수 있기 때문이다.

선장은 물끄러미 이민자들을 바라보았다. 그들도 똑같이 절박한 처지였고, 생생한 두 눈동자를 번뜩이는 사람이었다. 그 생각에 미치자 선장은 자신도 모르게 내면 깊은 곳에서 비롯된 진실을 꺼내 보일 수밖에 없었다.

"전 선장으로서 이 배의 모든 상황에 대해 책임을 질뿐더러 선택도 해야 합니다. 제 선택은 지금 제 눈앞에 보이는 살아 있는 모든 이를 살려야 한다는 것뿐입니다. 모두를 살려야 한다는 전제에서 다시 고민하겠습니다. 조금만 시간을 주십시오."

"그러다가 다 죽으면 책임질 거요? 저들은 불법체류자들이라고요!"

"죄송하지만 생명은…… 불법이 아닙니다."


## 생명은 불법이 아니다

생명의 모순을 놓고도 탈무드는 냉정할 정도로 생명 그 자체가 우선순위라는 사실을 가장 먼저 밝힌다. 위의 이야기에서 말하는 생명은 다른 누구의 이야기도 아닌 바로 자기 자신의 생명을 말한다. 하지만 자신의 생명이 아무리 소중하다고 해서 자신의 생명만을 구한다면, 그로 인해 다른 이의 생명이 위협받는다면, 그것은 생명을 훼손하는 행위이므로 반드시 막아야 한다고 말하는 것이다.

이는 비단 자신의 생명만이 아닌 가까운 가족이나 친구의 생명을 구하는 데도 똑같이 적용된다. 만약 우리 가족이 살기 위해 다른 이의 생명이 위협받게 된다면 그 일은 멈춰져야 할 것이다. 이렇듯 생명의 소중함에 상대적 가치를 매겨서는 안 되는 것이다. 주어진 생명은 동서고금, 인종, 국가, 소득수준과 아무런 상관이 없다. 가치의 경중을 매길 수 없이 모두가 소중한 것이다.


## 나에게 가장 중요한 우선순위는 무엇인가

냉정하게 자문해보자. 세상살이에서 내가 가장 중요하게 생각하는 우선순위는 뭐였을까. 만약 그것이 생명 존엄과 거리가 먼 것이었다면 계속해서 다시 묻길 바란다.

# 성인을
# 기다리던
# 남자

한 마을에 경건한 태도와 정직한 인성을 중시하는 남자가 있었다. 그의 목적이나 삶의 방향은 세속적인 욕심에 있지 않았다. 지혜가 넘치고, 최고로 거룩한 영성을 지닌 성인을 만나길 원했다. 그의 목적은 순수하고 고상해 보였다. 마을 사람들 모두 그를 고상한 목적을 지닌 사람으로 여겼고 그 자신도 그렇게 생각했다. 그는 적어도 세속적인 사람들과 자신은 다르다고 믿었다.

그렇게 지혜로운 성인을 기다리던 그에게 예기치 않게도 노숙자한 명이 찾아왔다. 노숙자는 그야말로 형편없는 꼴을 하고 있었다. 경건한 마음으로 성인을 기다리던 남자는 무척 실망했다. 성인을 기다리며 자신의 고상한 목적을 성취하려 했던 남자는 화를 냈다. 그토록 성인을 기다리던 자신의 노력에 찬물을 끼얹는 것만 같았다. 남자는 강하게 소리치며 노숙자를 쫓아냈다. 그리고 다시 자신의 집 주변을 청소했다.

"비켜요. 당신처럼 지저분하고 게으른 데다 사회에 아무 쓸모없는 인간이 내 집 주위를 어슬렁거리는 게 견디기 싫을 뿐이오!"

노숙자를 쫓아낸 남자는 주변을 깨끗하게 정리하고 다시 경건한 마음으로 성인을 기다렸다. 하지만 그토록 기다리던 성인은 나타나지 않았다. 그렇게 시간은 흘렀고, 어느 순간 남자는 자신의 고상한 목적을 더는 믿지 않았다. 성인을 더는 기다리지 않았다.


## 지혜는 이미 와버렸다

탈무드에서는 아주 기본적인 상식을 다룰 때가 많다. 이 이야기 역시 한 마을에서 벌어진 소박한 일이지만 우리에게 깊은 울림을 준다.

노숙자의 꼴을 보고 그를 내쫓는 순간 아마도 남자는 이미 지혜를 마음속에서 상실해버렸을 것이다.

마찬가지다. 우리가 사는 오늘의 삶은 이보다 훨씬 더 보이는 것에 치중하는 사회가 되어버렸다. 비단 노숙자의 남루한 행색만이 아니다. 우리는 삶에서 겉으로 보기에 성공한 모습만 좇기에 바쁘고, 그것을 따라잡으려고 부단히 노력한다. 남루한 복장을 한, 흔히 우리가 노숙자나 거지라고 부르는 사람들을 끔찍한 눈길로 흘겨보며 '나는 저렇게 살지 말아야지' 하는 다짐을 주문처럼, 또는 인생 지침처럼 마음과 머리에 새기며 살아간다.

그렇게 이미 겉모습으로 차별하는 사람이 고상한 무언가를 욕망한다는 사실은 위선이고 허위일 뿐이다. 대부분 남들과의 경쟁에서 뒤지지 않기 위해, 남들에게 비난받지 않고 여봐란듯이 살아가기 위해 더없이 속물적이고 세속적인 삶을 살면서도 그 역시 겉으로는 고상한 이상과 도덕을 이루기 위해 살아가는 것처럼 자신을 포장한다. 만약 내가 입으로는 치유, 위로, 상담과 같은 고상한 가치를 말하면서도 타인을 진정으로 위하는 마음이 없다면, 곁에 있는 이들을 진심으로 편견 없이 바라보는 시선이 없다면, 그저 최악의 수준임을 인정해야 한다. 그 인정에서 이른바 고상한 지식과 지혜는 시작될 것이다.

## 상대의 겉모습만 보고 판단한 적이 있는가

상대를 겉모습으로 평가하지 않고 있는 그대로 편견 없이 대하는 것, 그것이 바로 지혜의 시작임을 잊지 말자.

# 7장

•

# 일요일

딸에게 쓰는 편지

재로
가득 찬
항아리

한 탈무드 학교가 있었다. 어느 날, 학교를 대표하는 랍비가 탈무드 학교로 들어오던 학생들 중 일부를 가로막았다. 그러고는 출입을 허락하지 않았다. 학생들을 가리지 않고 받아들인 랍비들도 가로막았다. 학생들도 랍비들도 대표 랍비의 뜻을 알 수 없었다. 그래서 물었다.

"왜 우리를 가로막는 거죠? 우린 배우려고 온 겁니다."

랍비는 탈무드의 가르침을 인용해 가로막았던 이유를 다음과 같이 밝혔다.

"겉과 속이 다른 학생은 누구라도 배움의 집에 들어올 수 없습니다.”

겉과 속이 다르다는 뜻이 뭘까. 학생들은 이해하기 어려웠다. 대표 랍비는 더욱 힘주어 말했다. 공분에 사로잡힌 어투였다.

“이제 이스라엘에서 더는 배움의 자격이 없는 학생들에게 토라를 허락하는 일이 없길 바랍니다. 배우고자 하는 학생들의 잘못은 아니오. 가르치고자 하는 이들의 마음이 오염되어 오로지 더 많은 학생, 더 실용적인 가르침에만 몰두하기 때문이죠. 어떤 랍비는 400석을 늘려야 한다고 주장하고 또 어떤 랍비는 700석을 늘려야 한다고 주장합니다. 그런 일은 있을 수가 없습니다. 물론 배움이 많고 적음의 문제는 아닙니다. 마음의 양식을 쌓으려는 자세가 없는 배움은 결국 겉과 속의 차이만 크게 만들 뿐입니다.”

대표 랍비는 꿈 이야기를 하며 다음과 같은 말을 덧붙였다.

“수많은 사람이 꿈을 꿉니다. 기대와 설렘을 가져다주는 꿈을 꾸는 것이죠. 하지만 꿈은 꿈일 뿐입니다. 그것은 마음의 위로와 기대만 줄 뿐이지 실제로 풍성함을 맺게 하지는 않죠.”


## 겉과 속은 다르다

새로운 학생들에 대한 탈무드의 주요 가르침은 다음과 같다. 이들이 아무리 많은 숫자를 자랑해도 결국 가치 있는 학생이 아니라 속이 텅 빈 항아리라는 뜻을 갖는다는 것이다.

하지만 이 이야기에 대해 탈무드는 정반대 결론을 내리기도 하고 다른 의견을 말하기도 한다. 어떤 랍비는 재로 가득 찬 항아리 꿈을 꾸고선 그것이 더 많은 이들을 담아낼 수 있는 풍부한 가능성을 의미한다고 주장한다. 그렇게 믿으면 자신이 꾸는 꿈을 의미 있고 긍정적으로 해석할 수 있는 장점은 분명히 있다. 그런데 이때 놓치지 말아야 할 것이 있다. 현실은 꿈처럼 낭만적이거나 쉽게 술술 풀리는 게 아니라는 점이다. 꿈을 좋게만 생각하는 건 그저 자신을 위로하는 일에만 머무르기 때문이다.

《냉정과 열정 사이》라는 소설 혹은 영화를 기억하는가.

냉정함은 주로 이성적 판단을 뜻한다. 이성적 판단의 영역엔 반드시 현상에 대한 끊임 없는 분석이 뒤따른다. 분석을 위해선 지금까지의 배움과 학습 그리고 반복된 경험으로 쌓은 노련함까지 있어야 하기에 결국 '냉정'의 또 다른 수식어는 '실력'이라고 말할 수 있다.

반대로 열정은 주로 감성적 반응을 의미한다. 인간이 품고 있는 열정, 파토스pathos*의 신비는 인간과 인간 사이에 스며든 부정할 수 없는 '연대'를 뜻한다. 연대의 힘은 비록 냉철한 분석과 그것을 끌어내기 위한 유능한 실력에 못 미칠 수도 있지만 그와는 전혀 다른 차원의 감동을 건져 올리기도 한다. 공감과 동조의 힘을 이끌어내는 것이다.

냉정과 열정 사이에서 인간은 늘 한쪽 지점에 서 있어야 하는 게 아닌가 싶을 정도로 선택의 기로에 놓일 때가 많다. 하지만 지나친 냉정도, 지나친 열정도 부담스러울 때가 있다. 그럴 때 필요한 삶의 태도가 바로 중용中庸이다. 서로 다른 지점이지만 두 지점 모두 존중하고 아우를 수 있는 전체적 통찰 능력, 냉정과 열정 사이를 기꺼운 마음으로 이끌어갈 수 있는 태도 말이다.

## '나'는 냉정과 열정 사이 어디쯤 서 있는가

나는 어디에 서 있는가. 무엇을 배우고 무엇을 느끼려 하는가. 그리고 그렇게 느끼고 배운 지점에서 내가 진심으로 원하는 바는 무엇인가.

---

**파토스**는 일시적인 격정이나 열정, 또는 예술에서의 주관적, 감정적 요소를 말한다.

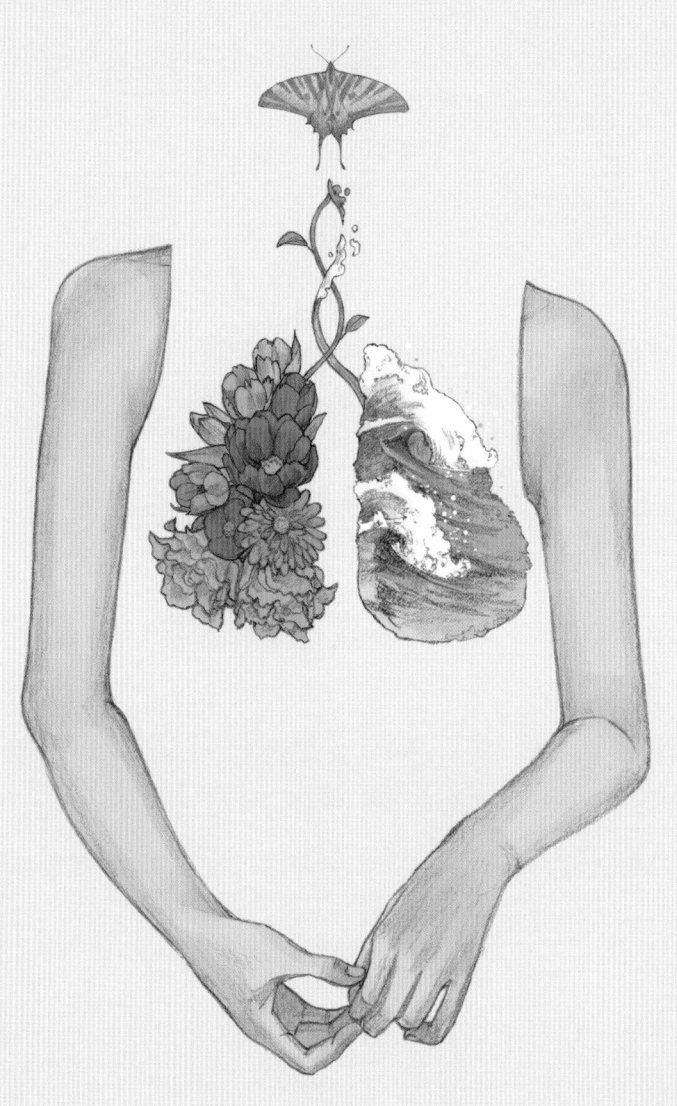

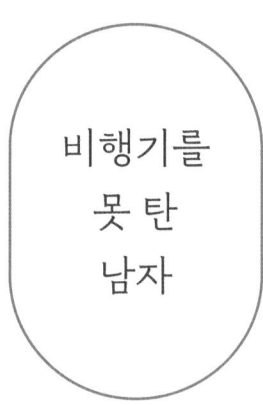

비행기를
못 탄
남자

중요한 사업의 기회를 얻은 한 남자가 있었다. 그가 일하는 업계
는 경쟁이 너무도 치열했다. 그렇기에 한 순간 한 순간 기업의 생
존이 걸리는 상황이었다. 그러던 중 남자에게 소중한 기회가 찾아
왔다. 바로 중국 진출의 기회가 주어진 것이다. 남자는 심혈을 기
울여 계약 성사를 위한 브리핑 자료를 준비하며 정당한 경쟁으로
좋은 결과를 얻기 위해 노력했다.

　그리고 그 기회를 성사시키기 위해 중국으로 가게 되었다. 남자
가 공항에서 비행기를 타기 위해 기다리던 그때, 그에게 한 통의
전화가 걸려왔다. 병원으로부터 아내가 위독하다고 알리는 전화

였다. 남자는 순간 망설였다. 자신은 지금 당장 중국 출장을 가야 했기 때문이다. 지금 가지 않으면 기회를 놓치게 된다.

"지금 오시지 않으면 안 됩니다. 수술 동의서에 보호자인 남편 분이 사인을 해야 한다고요!"

남자는 결국 간호사의 말에 중국 진출의 뜻을 접고 비행기를 타지 않았다. 그 뒤로 서울에 남아 위독한 아내의 긴급 수술 동의서에 사인을 했다. 위독했지만 아내는 무사히 살아났고, 남자는 마취에서 깨어난 아내를 보며 안도의 한숨을 쉬었다.

그때였다. 뉴스에선 속보가 나오고 있었다. 남자가 타려고 했던 중국으로 향하던 비행기가 이륙 직전에 폭발했다는 방송이었다. 안타깝게도 그 비행기에 탑승한 승객 중 살아난 사람은 아무도 없었다.


# 자신의 삶에 기적을 경험한 사람조차
# 그 기적을 알아보지 못한다

유대교 전통에는 다음과 같은 주문이 있다.

'우리에게 매일 나타나는 기적들에 대해 하나님께 하루 세 번 감사를 드려야 한다.'

왜 이런 걸 수행하라고 하는 걸까. 우리의 삶과 인생엔 사실 놀라운 기쁨들로 가득 차 있다. 새 생명의 탄생에서 느껴지는 신비로움, 우리 심장이 매일 쉬지 않고 고동치는 것에서 느껴지는 생명의 경이로움, 또한 우리 모두의 마음 깊이 내재해 있는 인간에 대한 신뢰와 감동은 형언할 수 없는 기쁨이다. 사랑하는 연인을 만났을 때의 설렘은 또 어떠한가. 우리 주위를 에워싸고 있는 그 놀라운 기쁨의 공기를 순간마다 실감하고 공감하라는 측면에서 감사의 기도를 잊지 말라고 가르치는 것이다.

우리의 삶은 어쩌면 기적 그 자체일지 모른다. 우리가 이 세상에서 숨을 쉬고 나무와 꽃을 볼 수 있는 자체가 기적이란 뜻이다. 그 의미를 상실하지 말라는 탈무드의 가르침에 언제나 시선을 돌려야 하는 이유다.


## 기적은 매일 나타나고 있다


'삶 자체가 기적'이란 이 문장에 대해 어떻게 생각하는가.

랍비가
내쫓은
제자

어느 탈무드 학교의 저녁 시간이었다. 랍비와 한 제자가 단둘이 마주 앉았다. 제자는 영민함과는 거리가 멀었다. 학교에서 평판도 좋지 않다. 랍비는 제자를 향해 무뚝뚝하게 지시하듯 말했다.

"기도문부터 외우고 밥을 먹어야지."

하지만 제자는 기도문을 제대로 외우지 못했다. 이에 실망한 랍비가 제자를 내쫓았다. 명분은 충분했다. 기도문 하나 외우지 못하면서 어떻게 탈무드를 공부하는 랍비의 길을 걸을 수 있느냐는 거였다.

하지만 며칠 뒤 랍비는 그 제자의 평판에 대한 새로운 사실을 전해 들었다. 그는 바로 자신이 제자를 혼낸 것을 후회했다. 제자는 아픈 사람들을 돌보는 데 대부분의 시간을 썼으며, 책을 사 볼 돈이 있으면 그 돈으로 가난한 사람을 도왔다는 것이다.

다시 랍비는 제자를 저녁 식사에 초대했다. 그리고 다음과 같이 말했다.

"기도문을 외우지 말고 그냥 편하게 먹게. 기도문 외울 시간에 아프고 힘든 이들을 돌보는 실천이 훨씬 더 중요하니까 말이야."


## 우울의 시대를 넘어서는 마음가짐

마음의 지도는 공상이나 상상이 아니다. 결코 상상하는 것에만 머무르는 게 아니다. 마음을 바라본다는 건 실제 행동에 가깝다. 그리고 뜻했던 것을 실천할 때, 비로소 그 마음을 다했다고 말할 수 있다.

오늘의 사회는 상실의 시대이며, 동시에 우울의 시대다. 2020년 부터 코로나 시대를 살아가는 우리는 우울과 불안이라는 불행한 키워드와 함께하게 되었다. 여러 이유가 있다. 불시에 찾아온 전염병 탓에 생활이 제약되고, 그로 인한 불안감이 우울과 상실의 감각으로 우리 마음 위에 돋아 올랐는지도 모른다.

하지만 우울의 근원은 어쩌면 그 예측 불가한 사건에서 비롯된 게 아닐지도 모른다. 오늘날 우리 사회와 우리 각자가 겪는 우울과 상실은 타인에게 비친 자신을 지나치게 의식한 결과라면 어떨까. 과도하게 관심을 두는 타인의 일상, 유명인이나 연예인의 일거수일투족을 감시하는 현상들. 이 모든 것의 이면 속에는 나를 나답게 보지 못하도록 하는 비교와 경쟁의식이 자리 잡고 있다.

타인과 나를 비교한 결과는 그것이 우월하든 열등하든 상관없이 나를 불안하고 우울하게 만든다. 나를 나답게 바라볼 수 있는 용기만 있다면 참된 자비와 자선의 마음도 가능해진다. 우울의 키워드를 내려놓는 길은 무작정 열심히 노력하거나 눈에 보이는 뚜렷한 성과를 내는 게 아니다. 마음가짐을 근본적으로 들여다보는 것, 오히려 그 하나만이 필요할 뿐이다.


## 나를 사랑하자

지독하게 상투적이지만 그래도 반복해서 외치자. '나를 사랑하고 아끼자.' 그렇게 따뜻하게 반복해서 들려주자. 나 자신에게.

우주를
창조한 뒤
신이 한 일

A.D. 3세기를 넘어서까지 로마제국의 위세는 막강했다. 로마의 시민권을 가진 이라면 다른 어떤 국가나 민족에 속한 사람보다도 더 뛰어난 능력이 있는 것으로 인정받았다. 로마에 살던 로마 시민권자인 한 여성도 그 신분이 주는 자존감과 우월함을 부정하지 않았다. 그녀는 자신들이 신의 축복을 받은 특별한 존재라고 생각했다. 그 여성이 탈무드를 가르치는 한 유대인 랍비에게 질문했다.

"당신이 말하는 그 유대인들의 신 말이오. 그 신은 이 우주를 창조하는 데 며칠이 걸렸던 겁니까?"

"모두 엿새가 걸렸죠."

"우주를 모두 창조하고 난 뒤에 신은 뭘 했다고 하나요?"

"남녀 간의 혼인을 중매하셨죠."

"우습군요. 우주를 창조한 고매한 신이 고작 남녀의 혼인 문제를 다뤘다고요? 고작 중매쟁이 노릇을 했다 이 말이네요. 그건 말이죠, 사실 아무나 할 수 있는 일 아닌가요?"

"그렇지 않습니다. 그 일이 정말 쉬워 보여도 사실은 홍해를 가르는 일만큼이나 어렵고 까다로운 일이죠. 한 우주가 또 다른 우주를 만나는 일이니까요."

"남녀가 그저 한 가정을 꾸리는 데 우주는 무슨 우주. 지켜보시오. 내가 당신네 신이 그토록 어렵게 생각하는 걸 얼마나 간단히 이루는지."

그 여성은 즉시 남녀 노예 천 명을 불러 모아 내키는 대로 짝을 이뤄 혼인을 맺게 했다. 하지만 바로 다음 날 갑자기 부부가 된 노예들 사이에서는 난리가 나고 말았다. 그들 모두 싸우고 도망치며 배우자를 바꿔달라고 울부짖었다.


## 한 우주와 다른 우주가 만나는 일

한창 베스트셀러였던 책 한 권이 생각난다.

《화성에서 온 남자 금성에서 온 여자》

남녀의 차이를 말하는 내용이 책의 주제였지만 그보다 더 중요한 주제는 한 사람이 가진 창조의 비밀에 있다고 생각한다. 굳이 종교를 이야기하지 않더라도 사람은 자신이 바라보는 세계에서 창조의 중심인 것만은 틀림없어 보인다. 자신이 바라보는 세계는 누가 뭐래도 그 자신이 중심이 되기 때문이다.

이를 내가 아닌 '너'에게 환원해도 동일하다. '나'란 존재가 우주의 중심이라면 '너'의 존재도 그 차원에서는 우주의 중심이다. 이렇듯 만남이란 서로 다른 우주, 서로 다른 중심이 만나는 사건이다. 그 만남엔 우열이 있을 수 없고 차별이 있을 수 없다. 누가 더 높고 누가 더 열등한지에 대한 기준이 있을 수 없는 것이다.

이는 비단 남녀의 만남에만 머무르지 않는다. 우리가 살아가는 삶의 모든 부분에서 만남은 소중함을 뛰어넘어 하나의 우주가 열리는 사건으로 인식할 필요가 있다. 상대를 존중하는 만큼 나 자신도 존중받을 권리가 있다는 것. 그걸 잊지 말아야 한다.


## 나도 너도 중심이다

'나'를 세계의 중심이라 생각하는 습관은 결코 거창한 것이 아니니다.

절망의
끝

남다른 성실함과 독실한 믿음을 가진 한 사람이 있었다. 그는 모범적인 삶을 살았고, 많은 사람들도 그의 성실함을 의심하지 않았다. 그런 사람이 어느 날 랍비를 찾아와 불만을 쏟아냈다. 평소에 켜켜이 쌓여 있던 불만을 참고 참다 터트린 것이었다.

"저는 지금까지 신을 찬미하는 일과 내게 주어진 삶에 충성을 다했습니다. 제가 할 수 있는 모든 걸 했다고 자부합니다. 그런데도 솔직히 아무런 발전도, 성과도 없었습니다. 제가 잘못된 걸까요, 불성실했던 걸까요? 아님, 처음부터 전 신이 버린 존재였던 건가요? 모르겠습니다. 이젠 아무것도 자신할 수 없습니다."

그 말을 듣고 있던 랍비의 반응은 의외였다. 그 사람을 오랫동안 알고 지내던 랍비는 평소엔 결코 들을 수 없었던 그의 불만 가득한 말들을 기쁘게 받아들였다. 심지어는 얼굴에 미소까지 머금은 채로 그에게 답했다.

"당신이 지금 한 이 말, 이 생각이야말로 앞으로 큰 축복을 받게 될 징조가 확실합니다."

"지금 무슨 말을 하는 겁니까? 절망의 끝에서 겨우 이 고백이 나온 겁니다. 더 희망은 없습니다."

"아니오. 당신은 당신 스스로 자신의 현주소를 인정하는 지혜를 깨우친 겁니다. 지극히 겸손한 당신의 태도가 바로 새로운 지혜를 낳는 자궁이 되는 거란 말입니다."

그 사람은 자신에게 주어진 절망을 겸손으로 이해하지 않았을 것이다. 하지만 오랫동안 탈무드의 가르침을 살펴온 랍비는 남자의 고백을 지혜로운 겸손으로 보기를 주저하지 않았다.


## 세상에서 가장 훌륭한 지혜는 친절과 겸손이다

생각해보자. 여기서 말하는 겸손은 무엇일까? 별것 없다. 상대방과 나 자신의 한계를 인정하는 일, 또는 태도다. 자기만 내세우

지 않고 상대의 의견과 뜻을 인정하려고 노력하는 자세 말이다. 친절과 겸손은 형제와 같다. 겸손해지지 않고선 결코 친절할 수 없으며, 친절하지 않고는 참된 겸손에 이를 수 없다.

자학과 인정은 분명 다르다. 우리는 종종 이 사실을 혼란스러워한다. 내가 하는 일에서나 내 능력에서나 한계를 마주하게 되는 경우가 있다. 노력 여부와 상관없이 우리에게 냉정할 정도로 차갑게 다가오는 현실적 순간이다. 이때 우리 대부분이 오류처럼 빠져드는 감정이 바로 자학이다. '역시 난 아무리 해도 안 돼!' 하는 자학 내지는 자기 연민의 감정이 그렇다.

앞선 예화 역시 속내를 들여다보면 자기 연민으로 가득 찬 한 사람의 불만이다. 그 불만의 말 자체가 미화될 수는 없지만, 랍비는 놀랍게도 그 불만 자체를 축복의 씨앗으로 이해한다. 중요한 건 그 불만이 축복일 수 있다고 생각하는 발상의 전환이다. 자학과 자기 연민으로 가득 찬 한 사람이 랍비의 가르침을 통해 처음엔 이해하지 못하다가 계속해서 생각하게 된다.

그러던 중 그는 자신의 한계에 대해 자학하는 단계를 벗어나 자기 자신을 있는 그대로 인정하기에 이른다. 인정하게 되는 감정은 포기의 감정과 비슷해 보이지만 확실히 다르다. 자신을 인정하는 순간 자기보다 더 많은 것을 일궈낸 상대 역시 인정하게 되는 용기가 생긴다. 그 용기가 오히려 자학, 자기 연민, 포기나 후회의 감정에서 자신을 벗어나게 해준다.

솔직한 용기와 상대를 인정하는 마음은 겸손이란 선물을 가져다준다. 그리고 그 겸손의 선물은 나에게 자양분이 되어 더 나은 나를 찾아가게 하는 동력이 된다. 결국 자기 인정이 겸손으로 이어지고, 그 겸손이 누구와 비교하지 않아도 나를 나답게 세워주는 힘이 되는 것이다.


## 인정할 때 비로소 보인다

때론 인정하고 싶지 않은 절망적인 상황이 있다. '나 잘못 살았어'라고 말하는 게 어리석게 느껴질 때도 있다. 하지만 절망과 슬픔을 있는 그대로 말할 수도 있어야 한다. 그럴 때도 있어야 한다. 반드시.

딸에게
쓰는
편지

사랑하는 내 딸, 결혼을 앞둔 내 딸아, 들어보아라.

만약 네가 남편을 왕처럼 생각한다면 남편 역시 널 여왕으로 생각할 것이다. 반대로 네가 남편을 하인처럼 함부로 대한다면 네 남편 역시 널 하녀처럼 대할 것이다.

만약 네가 너의 주장만을 남편에게 강요한다면 남편 역시 자신의 주장을 관철하기 위해 온갖 수단을 다 동원할 것이다. 그중엔 남자의 육체적인 힘도 포함될 것이다.

만약 남편이 친구나 동료를 만나러 나가는 일이 있다면 매너 있는 옷매무새와 상황에 맞는 차림새를 꼭 골라주기 바란다.

사랑하는 딸아, 만약 네가 언제나 가정을 위해 마음과 정성을 쏟고 남편이 소중하게 생각하는 가치와 생각을 하나하나 귀 기울여 듣고 소중하게 생각한다면 남편은 자신이 가진 그 어떤 것이라도 너와 함께 나눌 것이다. 이것을 잊지 말아라, 내 딸아.


## 탈무드의 가르침은 지극히 일상적이다

탈무드의 가르침은 때로 놀랍도록 이성적이거나 차갑다. 하지만 그 정반대인 경우도 있다. 때론 매우 다정하고 친밀하게 다가오기도 한다. 그런데 두 경우 모두 공통점이 있다. 차갑거나 뜨겁거나, 생의 가치가 살아 있는 이야기를 들려주고자 함이 탈무드의 특징이다.

딸에게 쓰는 이 편지 역시 그러하다. 그 내용이 결코 거창하진 않지만, 일상에서 소소하게 반복되는 일 중에서 자칫 잘못된 습관으로 굳어져 삶의 오류가 될 수 있는 것들을 깨우쳐주고 있다. 오류는 커다란 착오나 실수에서 비롯되기보다는 오히려 일상적인 행동에서 시작되기 때문이다. 가족, 부부, 자녀, 친구와의 관계에서 혹시 잃어버릴 수 있는 배려와 상대에 대한 세심한 관찰을 잊지 않는 태도, 그것을 익히는 게 중요하다고 탈무드는 말한다. 왜냐하면 일상에서 소소한 오류가 줄어든다면, 인생에서 커다란 가치를 결정하거나 무언가 중요한 부분을 돌려세워야 할 때 힘 있게 나아갈 수 있기 때문이다.


## 가장 가까운 사람을 나는 어떻게 대하고 있는가

내가 관계 맺고 있는 아주 친밀한 사람부터 돌아보자. 그들에게 나는 어떤 사람일까.

거룩함의
본질

어느 탈무드 학교에서 제자를 가르치는 한 랍비는 특별히 거룩함을 중시하고 그것에 관해 토론하는 데 많은 시간을 할애했다. 그날도 거룩함에 대한 토론으로 밤을 새울 때였다. 토론의 끝자락에서 랍비가 제자들에게 물었다.

"너희가 생각하는 거룩은 무엇인가."

토론의 끝자락이었으므로 많은 제자들의 생각은 어느 정도 정리된 듯 보였다. 거룩함에 대한 그들의 정의는 신속하고 명료하게 도출되었다.

"신을 위해 내 목숨을 바치는 것입니다."

"쉬지 않고 기도하는 것입니다."

"아닙니다. 그보다 더 깊어야 합니다. 온몸을 바칠 줄 알아야 합니다."

제자들의 답을 듣던 랍비가 한참을 침묵한 뒤 말했다.

"거룩함이란 무엇을 먹는가, 성관계를 어떻게 하는가에 따라 좌우된다."

랍비의 답을 듣자마자 한 제자가 의문 가득한 마음을 담아 물었다.

"정한 날에는 고기를 먹지 않는다든지, 특정한 날에는 성관계를 맺지 않는 걸 두고 거룩함의 본질이라 말씀하시니 이해하기 어렵습니다."

그러자 랍비가 바로 답했다.

"쉬지 않고 기도하고, 목숨을 바치는 일은 세상에 금방 드러난다. 그건 바로 너희의 거룩함을 타인에게 입증하는 도구가 되지. 하지만 타인이 관심 두지 않는 사소한 규칙들을 신과의 관계를 생각하며 지키는 것이야말로 진짜 거룩함을 이끄는 진정성이다."

# 종교의 가르침에서 종교를 빼라

탈무드에서 가장 중요하게 취급하는 가치는 바로 거룩이다. 그 거룩함은 자연스럽게 신과의 관계에서 비롯된다. 신을 대하는 인간의 자세는 거룩함에 기초하는데, 그 거룩함이 신에게 빛으로 발견되기 위해서 필요한 기초 덕목이 있다. 거룩함을 유지하기 위해 필요한 덕목, 그것은 바로 '진정성'이다.

여느 종교도 그렇겠지만 유대교의 핵심 가르침에는 '종교를 빼내라'는 교훈이 있다. 이는 상당히 역설적이다. 종교인의 삶에서 종교를 빼라니. 그럼 뭐가 남는단 말인가. 탈무드의 가르침은 소소한 일상에서 규례나 도덕을 지키는 일에 많은 분량을 할애한다. 그러한 규례와 도덕은 지극히 개인적인 일상을 비추는 경우가 많다. 그렇기에 우리 대부분은 그런 일상의 가르침엔 큰 관심을 기울이지 않는다. 눈에 보이는 것, 즉시 성과로 이어지는 열매, 그런 현상적인 가치에 집중하는 경우가 허다하다.

하지만 일상의 소소한 부분에서 자기 규칙을 설정하고 이를 지켜나가는 행동, 그 근원에 진정성이 자리하고 있다. 자신과의 약속조차 제대로 이행하지 못하면서 다른 이에게 보이기 위한 업적과 수행이 무슨 소용이 있느냐고 말하는 유대교 한 랍비의 가르침에 귀를 기울여보자. 그리고 오늘 나의 삶을 들여다보자. 거창하고 화려한 데다 남들에게 그럴싸하게 보이는 삶 말고 내가 사랑하고 나와 지금 함께하는 일상을 들여다보는 것, 그것이 바로 진정성의 핵심이다.


## 나의 진정성은 어디에서 오는가

거창하고 대단한 거 말고 내가 지금 관심 있고 아끼는 게 무엇인지 적어보자. 그리고 그것을 소중히 간직하는 법을 익히자.

솔로몬 왕의
지혜

옛 지혜의 경전 중에 《구약성서》가 있다. 《구약성서》를 들여다보면 유대 역사에서 전례를 찾아볼 수 없는 지혜의 왕이 있다. 바로 솔로몬 왕이다. 그는 백성들에게 사물과 현상을 바라볼 때 깊이 있고 입체적인 사고를 요구했다. 그리고 스스로에게도 늘 그러한 지를 자문하며 답을 구하는 노력을 게을리하지 않았다.

그리고 그 노력의 결론에 대해 솔로몬 왕은 늘 다음과 같은 본질을 밝히곤 했다.

'지혜는 뜨거운 가슴, 즉 사람을 사람답게 바라보는 관심에서 비롯된다.'

이러한 솔로몬 왕의 원칙을 대변하는 일화가 있다. 돈을 훔쳐 간 진범을 잡아달라고 세 사람이 솔로몬 왕에게 찾아와 간청한 일이 있었다. 솔로몬 왕은 이들에게 다음과 같은 질문을 던졌다.

"내가 하나의 문제를 던져보겠네. 이 문제에 대한 의견을 내준다면 당신들의 재산을 축낸 범인을 잡는 데 도움이 될 거야."

세 사람은 솔로몬 왕이 무슨 의도에서 그런 말을 하는지 뜻을 알 순 없었지만 일단 들어보기로 했다. 솔로몬 왕이 말을 이었다.

"결혼을 앞둔 남녀가 있었어. 그런데 여자가 변심했지. 뻔뻔하게도 여자는 결혼을 약속한 남자에게 헤어지자고 말했어. 돈으로 보상을 해주겠다고 하면서 말이야. 남자는 보상 같은 건 바라지 않고 결혼을 취소했어. 그리고 얼마가 지났을까. 돈이 많은 여자를 눈여겨본 한 장사꾼이 그녀를 납치했어. 그러자 여자는 이전 남자 이야기를 꺼냈어. 자신에게 아무런 보상도 받지 않고 결혼을 취소해준 남자가 있었으니 그 남자처럼 자신을 풀어달라고 말했어. 무슨 일인지 여자를 납치한 장사꾼도 더는 돈을 요구하지 않고 그녀를 풀어주었어. 이 세 사람 중 가장 칭찬받을 사람은 누구일까?"

한 남자는 이렇게 답했다.

"아무런 대가를 바라지 않고 여자의 마음을 존중해 결혼을 취소한 남자가 가장 칭찬받아야 합니다."

또 다른 남자도 이어 답했다.

"저는 진심을 실천한 여자가 칭찬받아야 한다고 생각합니다. 자신에게 쏟아질 비난을 감수하면서까지 진정한 사랑을 찾아 떠난 여자가 박수받아야 한다는 거죠."

하지만 마지막 남자는 불만을 토하며 앞의 두 남자와는 다른 견해를 말했다.

"저는 누가 칭찬받아야 하는지 전혀 모르겠습니다. 알고 싶지도 않아요. 특히 장사꾼요. 기왕 납치했으면 돈이라도 받고 풀어줘야지, 그게 무슨 짓인가요. 전혀 공감되지 않습니다."

그러자 솔로몬 왕은 벼락같이 화를 내며 마지막 남자를 몰아붙였다.

"네가 돈을 훔쳐간 범인이 분명하다."

"아니, 어째서 그렇게 생각하십니까?"

"두 남녀의 애정과 감정에 관심을 가져야 하는 게 이 이야기의 핵심인데, 너는 그것엔 전혀 관심을 두지 않고 장사꾼의 보상 문제에만 관심을 쏟고 있으니 네가 돈을 훔친 범인인 게 틀림없다."

# 관심의 깊이가 남달라야 한다

유대교 랍비들의 가장 큰 관심사는 신의 사랑이었다. 언뜻 보면 시시콜콜하거나 이해되지 않는 규례나 예법에 대한 가르침으로 탈무드의 내용이 채워진 것으로 보이지만 그건 오해다. 예를 들어 안식일에 대해 집착하거나 신을 향한 제사를 지낼 때 물잔을 오른쪽에 놓느냐 왼쪽에 놓느냐를 놓고 격렬한 토론을 벌이는 이유는 모두 하나의 관심사로 수렴된다. 그건 바로 신을 향한 사랑을 어떻게든 더 깊고 더 강렬하게 담아내기 위함이다.

탈무드의 가르침으로 우리는 한 가지 커다란 기대를 내려놓을 필요가 있다. 바로 이 가르침을 읽으면 세상을 살아가는 처세술에 뛰어나게 될 거라는 기대가 그렇다. 탈무드의 가르침을 우리가 살아가는 지금, 2021년에 그대로 적용하는 건 모순이다. 유대인의 상법이나 경제술, 돈에 대한 관심을 이해하고 배우고자 하는 집념은 이해할 수 있지만 냉정히 보면 유대인들이 탈무드의 가르침을 삶에 효과적으로 적용해서 오늘날 세계의 부호가 된 것은 결코 아니기 때문이다.

그렇다면 무엇인가. 탈무드의 가르침을 통해 우린 뭘 듣고 뭘 받아들여야 하는가. 그건 바로 관심의 깊이다. 신에 대한 사랑의 관심에서 비롯된 본질에 대한 집념이 그들 유대 민족의 생존과 번영을 가능케 했다. 그렇듯 우리가 이 가르침을 통해 나 자신이 궁극적으로 원하는 관심의 깊이로까지 내려간다면, 그렇다면 우리는 탈무드를 통해 가장 뜨겁고 가장 찬란한 인간다움에 대한 이해를 배우게 될 것이다.


## 지금, 어디를 바라보고 있는가

현재 머무는 당신의 시선이 중요하다. 당신이 머무는 시선의 자리, 가치가 어디에 있는가. 그 가치가 당신의 오늘을 결정할 것이다.

일러스트레이터
**허지선**
다양한 소재에서 영감을 받아 자유롭게 그림을 그린다. 특히 심리적인 것을 잔잔하게 묘사하는 그림을 즐겨 그린다. 네이버 그라폴리오 '잔상이 머무는 공간'에서 일러스트레이션을 연재했고, 각종 도서와 SNS 콜라보 작업을 이어나가고 있다. 에세이 《괜찮다고 말하지만 사실은》을 펴냈다.

# 탈무드

초판 인쇄 | 2021년 1월 20일
초판 발행 | 2021년 1월 30일

지은이 | 주원규
펴낸이 | 정은영
책임 편집 | 박선주
표지디자인 | 디자인(★) 규  본문디자인 | 최은숙
일러스트 | 허지선

펴낸곳 | 마리북스
출판등록 | 제2019-000292호
주소 | (04037) 서울시 마포구 양화로 59 화승리버스텔 503호

전화 | 02)336-0729, 0730
팩스 | 070)7610-2870
인쇄 | 티피에이코리아(주)

ISBN 979-11-89943-52-3 (set)
       979-11-89943-53-0  04800